PWY
BIA'R GÂN?

gan

T. JAMES JONES a MANON RHYS

Gwasg Carreg Gwalch

Argraffiad cyntaf: Rhagfyr 1991

ⓗ *teip Gwasg Carreg Gwalch*

ⓗ *testun T. James Jones/Manon Rhys*

*Rhif Llyfr Safonol Rhyngwladol:
0-86381-206-6*

*Argraffwyd gan Wasg Carreg Gwalch,
Capel Garmon, Llanrwst, Gwynedd.
☎ Betws-y-coed (0690) 710261*

RHAGAIR

Gwanwyn 1758, ac yn ôl pob golwg, mae haul Rhagluniaeth yn gwenu ar aelwyd y gân ym Mhantycelyn. Mae'r Pêr Ganiedydd yn paratoi ar gyfer un o'i deithiau pregethu mynych; Mali, ei wraig feichiog, yn paratoi ar gyfer esgor ei phumed plentyn, a Shoni'r gwas, er gwaetha'i hoffter o drafod athroniaeth a diwinyddiaeth, yn fugail cydwybodol yn nhymor geni'r ŵyn.

Ond pwy yw Martha, a ddaw â'i gofid fel cwmwl i gwato'r haul? Beth yw cyngor Mali a William iddi? Beth sy'n digwydd rhyngddi hi a Shoni? Beth yw effaith ei hymweliad hi ar y tri ohonyn nhw? A ddaw'r haul o'r tu ôl i'r cwmwl? A phwy, wedi'r cyfan i gyd, bia'r gân?

Chwaraewyd y ddrama hon gyntaf yn
Neuadd Pantycelyn, Llanymddyfri
Mehefin 28, 1991.

William Williams:	Dafydd Hywel
Mali:	Gaynor Morgan Rees
Shoni:	Dewi Rhys Williams
Martha:	Delyth Wyn
Cynllunydd Goleuadau:	Tom Goode
Rheolwr Llwyfan:	Arwyn Davies
Gwisgoedd:	Iorwen James
Cyfarwyddwr Cerdd:	Peter Williams
Cyfarwyddwr:	T. James Jones

CYMERIADAU

WIL   *(William Williams Pantycelyn — 41 oed)*

SHONI   *(Gwas Pantycelyn — tua 30 oed)*

MALI   *(Gwraig Pantycelyn — 34 oed)*

MARTHA   *(Ffrind Mali — tua 34 oed)*

LLEOLIADAU

1.   *Parlwr Pantycelyn.*

2.   *Ffair yn Llanymddyfri.*

3.   *Mynwent.*

AMSER

Gwanwyn 1758

ACT 1

GOLYGFA 1

Ffair.   Nos.
Sŵn Ffair yn y cefndir. Wil yn annerch y gynulleidfa . . .

Wil:

"Wy'n profi 'meiau mawr a mân
Nawr am fy nigalonni'n lân;
Eu rhif, eu nerth, ynghyd â'u lliw,
A wnaeth fy nghalon fach yn friw.

"Gwn mai rhinweddol yw dy wâd
I bledio'm hawl o flaen y Tad;
A chlirio'm ffordd at orsedd gras
A blotto meiau mwya mas.

"Cofia mai gwagedd wyf, a gwynt,
A chofia'm cwymp yn Eden gynt,
A chofia mod i'n teithio nawr
Mewn byd sy'n llawn o feiau mawr."

Ma' isie maddeuant ar bob un ohonon ni ffrindie.
Allwn ni'm byw heb 'i faddeuant *e*, achos dyledwyr
iddo fe y'n ni, bob un ohonon ni! 'Na'r gwirionedd
mowr fwrodd fi ym mynwent Talgarth flynydde
mowr 'nôl. Ca'l 'yn ail-eni mewn mynwent! Ar 'yn
ffordd gatre o ysgol Llwyn Llwyd, yn grwtyn bach
ifanc â'm mryd ar fod yn feddyg. O'n i'n dysgu
rhwbeth newydd bob dydd am y byd a'r bydysawd
ac am gorff a meddwl dyn. Ond y dwyrnod 'nny, fe
ges i'r allwedd i agor drws stafell wahanol iawn i
labordy'r gwyddonydd. Stafell y Swper Olaf . . .
Yr oruwchystafell! Cerdded miwn trw'r drws i seiat
'da'r Arglwydd Iesu. 'Na chi brofiad! Haleliwia! Fe
yw'r meddyg mowr! Allwn ni ddim â'n hiacháu'n
hunen. Dowch ato fe heno ffrindie! Dowch i ga'l 'i
feddygynieth e. A'r moddion fydd e'n 'roi i chi fydd
poteled o faddeuant . . . !

9

(Yn sydyn fe wêl gydnabod yn y gynulleidfa . . .)

John Huws! Wel! Wel! Wel! Pwy feddylie y gwelen i *chi* 'ma heno! Achos ma' isie arian i ddod i'r ffair — a 'sdim arian i *ga'l* 'da chi medde chi! Dim digon i 'nhalu i am *Golwg Ar Deyrnas Crist* ta beth! A finne'n dishgwl ca'l 'yn nhalu ers doufish! Na, na sdim isie i chi dreial jengyd! . . . 'Na fe Shoni! Gafel di yn'do fe! Gafel yn'do fe fel gelen nes bo' fi'n ca'l gair ag e . . . Nawrte, ble o'n ni ffrindie? O ie, maddeuant . . .

GOLYGFA 2

Pantycelyn. Drannoeth . . . Nos.
Shoni yn darllen "Golwg ar Deyrnas Crist". Ar ôl ysbaid, enter Mali feichiog, flinedig.

Mali: Shoni bach, ti ar dy dra'd o hyd?

Shoni: Ca'l blas ar y llyfyr 'ma odw i . . .

(Mali'n eistedd yn drwm mewn cadair siglo)

Shoni: Chi wedi blino . . .

Mali: Odw glei . . . Ma'r plant yn llond llaw'r dyddie hyn. Sa i'n gwbod o ble ma' nhw'n ca'l 'u hegni . . . Nadw i wir.

Shoni: A fe gethoch chi ofon prynhawn 'ma te, â William bach yn neud shwt strocen!

Mali: Do. 'I ffindo fe ar frigyn ucha'r dderwen a John 'i frawd yn treial 'i ddilyn e! Isie gweld y byd os gweli di'n dda! Lwcus bo' fi 'di mynd i whilo amdanyn nhw ne' fe alle damwen gas fod 'di digwydd.

Shoni: Dilyn 'u tad ma' nhw Mishtres! Ma' hwnnw isie gweld popeth!

Mali: Itha gwir.

(Mali'n dechrau siglo'r gadair)

Shoni: Fe fuodd Amelia'n gwmni mowr i fi heddi. Dwli ar

10

yr ŵyn bach. Ond fe gododd hi ambell bwnc digon lletwhith 'fyd! Do, wirionedd i!

Mali: Ymbytu beth?

Shoni: Dechre sôn am eni'r ŵyn 'nethon ni. Ond ma' hi'n dyall yn gwmws beth s'da'r hwrddod i neud â'r busnes. Ma' hi wedi'u gweld nhw ddigon ar gefne'r defed! Ond yn y diwedd, dim *ŵyn* o'dd hi'n moyn drafod . . .

(Mali'n rhoi'i dwylo ar ei bola . . .

Mali: Holi shwt dda'th hwn fan hyn, ife?

Shoni: Nage, dim holi . . . Gweud. O'dd hi'n honni bod hi'n gwbod y cwbwl. "Ma' Dat yn dyall shwt ma'r pethe 'na'n gweitho a ma' fe wedi gweud wrtha i taw Duw roiodd e 'na" mynte hi!

(Shoni'n chwerthin. Mali'n rhewi'n ei chadair siglo)

Beth allen i weud! O'dd hi'n well stori na ches i 'da Mam slawer dy', ymbytu ffindo babis dan lwyni gwsberis!

(Saib. Shoni'n synhwyro anesmwythyd Mali)

Shoni: Sa i 'di gweld Mishtir trw'r dydd.

Mali: *(Ochenaid)*

Na finne . . .

Shoni: Sgrifennu ma' fe, ife? Beth s'da fe nawr 'to?

Mali: Paratoi ar gyfer y daith ma' fe.

Shoni: *(Dan ei wynt)*

Caton pawb!

Mali: Ie?

Shoni: Tr'eni bo' fe'n goffod mynd 'radeg 'ma. Fe alle saint y North fod heb bregeth ne' ddwy tan yr haf o's bosib.

(Mali'n siglo'r gadair eto . . .)

'Sdim dylanwad o gwbwl 'da chi arno fe 'te?

Mali: Wyt ti'n 'i nabod e cystal â fi Shoni.

Shoni:	Nagw i! Ond 'na fe, 'na pam wy 'ma! Fel bo' fe'n galler mynd ar y galifant. Diolch am yr Efengyl weda' i, ne' fydde dim gwaith 'da fi!
Mali:	Fe gelet ti waith rywle arall.
Shoni:	Ond fan hyn ma'n lle i! Fe weles i Josi neithwr. Ma' fe'n ca'l uffern 'da'i fishtir, a hwnnw'n geffyl bla'n yn Cefnarthen. 'Na beth sy'n lladd crefydd. Rhagrith.
Mali:	Fel'na ma' hi wedi bod eriôd Shoni. A 'sneb ohonon ni'n lân o'r hen bechod 'na o's e?
Shoni:	Ma' Mishtir glei! 'Sdim rhagrith yn perthyn iddo *fe*! Cofiwch, wy'n joio tynnu'i go's e ymbytu'r peth!
Mali:	'Sneb ohonon ni'n berffeth o's e, ne' fydden ni ddim o'r byd hwn.
Shoni:	Wel yr unig fai wy i 'di weld yw 'i dymer wyllt e . . . Ma' fe'n cydnabod 'nny 'i hunan. Ond 'na fe, tano ma' fe, achos bo' fe mor sensitif siŵr o fod. Teimlo popeth . . .
	(Saib. Shoni yn edrych arni'n siglo'r gadair . . .)
Shoni:	Gwedwch 'tha i, am faint fydd e bant tro hyn te?
Mali:	Tair wthnos.
Shoni:	Ond ma' hynny'n golygu . . .
Mali:	Beth?
Shoni:	'Sdim ots. So fe'n fusnes i fi.
Mali:	Na gwed.
Shoni:	Wel, sa i isie codi bwganod, ond ffaelu dyall y peth odw i . . .
Mali:	Beth — y bydd e bant dros y geni falle? O, fe fydda' i'n iawn, paid ti becso. Wy 'di bod trwyddi beder gwaith o'r bla'n, cofia!
Shoni:	Ond o'dd Mishtir 'da chi bob tro . . .
	(Saib)
Mali:	Shoni, so ti'n credu bod hi'n hen bryd i ti fynd i glwydo?

Shoni:	Fe a' i nawr.
Mali:	Gest ti nosweth hwyr nithwr on'd do fe? Glywes i ti'n dod miwn. A o't ti'n bach yn shirobyn 'fyd 'nôl dy sŵn di . . . A o't ti'n hwyr yn codi bore 'ma . . . Dy ben di fel bwced siŵr o fod . . .
Shoni:	O whare teg Mishtres, sa i'n meddwi'n amal!
Mali:	Y cwbwl weda'i yw gofala bo' ti ar dy dra'd 'da'r wawr bore fory. A gweud y gwir falle y bydde fe'n syniad i ti aros ar dy dra'd trw'r nos, â'r holl gadnoid ymbytu'r lle.
Shoni:	Ond laddes i ddou ddo'! A un arall wthnos dwetha!
Mali:	Ma' 'na gadnoid ymbytu'r lle o hyd Shoni. Ma'n nhw'n bla yng Nghilycwm. O'dd Elinor Ffos Las yn gweud 'tha'i gynne. Colledion ym mhobman.
Shoni:	Sa i'n gwbod am Gilycwm. Ond 'sdim cadno mas fanna heno. Fe fydd ŵyn Pantycelyn yn saff.

(Llais Mali'n codi'n gynyddol)

Mali:	Fe all un dierth alw heibo Shoni. Fel lleidyr yn y nos.
Shoni:	Sa i'n dyall pam wy'n ca'l y bregeth 'ma fan hyn nawr . . .
Mali:	Achos yn yr awr ni thybioch ma' pethe'n digwydd Shoni! O's bosib os na wyt ti o bawb yn dyall 'nny!
Shoni:	O odw, wy'n dyall 'nny! Chi'n gwbod beth halodd fi i feddwi neithwr yn y ffair? Cofio . . . Cofio naw mlyne' nôl i'r nosweth . . . Cofio amdani hi . . . Amdanyn nhw . . . Beth arall o'dd 'da fi i neud ond ffoi i'r ffair a meddwi'n gaib? Pawb ond fi'n joio mas draw. A finne'n dathlu pen-blwydd geni . . . a marw. O'r groth i'r bedd myn yffarn i . . . Ma'n ddrwg 'da fi Mishtres. Ddylen i'm rhegi . . . ond fan'ny yn y ffair gwrddon ni gynta chi'n gwbod . . . . . . A nosweth y ffair naw mlyne' nôl fuodd hi — fuon *nhw* — farw . . . Mawrth a ladd o'dd hi . . . Colli dwy . . . colli'r cwbwl . . . Leisa . . .

A'r groten fach . . . Maria Sophia . . . Enw bach pert . . .

(Shoni'n torri lawr i lefen)

Mali: Shoni bach . . .

(Mali'n mynd ato i'w gysuro)

Shoni: Y'ch chi'n credu mewn Rhaglunieth on'd y'ch chi . . . Ond un peth yw credu yn'di. Peth arall yw derbyn y genawes . . . Odych chi'n meddwl bo' fi'n pechu wrth weud rhwbeth fel'na? Ody'r Bod Mowr yn grac â fi am 'i weud e? . . . Ond 'i weud e 'na'i ragor! Achos 'sdim sens yn y peth o's e? Marw ar enedigeth! Pwy siort o drefen yw honna wirionedd i!

(Mali'n gafael ynddo. Ar ôl ysbaid, mae e'n rhoi ei freichiau am ei chanol . . .)

Mali: Y'n ni'n ffrins?

(Shoni'n gwenu drwy'i ddagrau)

Shoni: Odyn glei . . . Y'ch chi'n fenyw fowr Mishtres!

(Mali'n gwenu wrth edrych ar ei bola)

Mali: Odw!

(Enter Wil)

Wil: Shoni! Fe gollest ti'r ddyletswydd bore 'ma.

Shoni: Do . . .

Wil: Gormod o gwrw'n y ffair neithwr, ife?

(Shoni'n taflu golwg ar Mali)

Shoni: 'Bach falle . . . O'n i'm wedi cwrdd â Josi ers amser chwel' a ma' rhaid i fi gyfadde bo' ni 'di joio gormod . . . Ond wy'n credu bo' ni 'di ca'l rhyw fendith 'fyd achos fe fuon ni'n trafod 'ych pregeth chi am sbel.

Wil: *(Yn gellweirus)*

Ti'n clywed Mali? Cynulleidfa feddw o'dd 'da fi neithwr. 'Na fe, wy'n siŵr o ga'l gwrandawiad sobrach yn y North.

Shoni: *(Yn chwerthin)*

A fydd pobol mwy parod i dalu am 'ych llyfre chi falle. Fe lices i'r ffordd stopoch chi ar genol y berorasiwn pan weloch chi un o'ch dyledwyr!

Wil: Dala ar 'y nghyfle 'nes i ontefe?

Shoni: Fe ath hi 'bach yn dwym rhyntoch chi.

Wil: Ie wel, diolch i ti am . . . shwt weda'i . . . am gyfrannu i'r ddadl.

Mali: Sa i'n moyn clywed am ddadle ffair.

Wil: Fuodd na'm dadle. Y cwbwl 'na'th Shoni o'dd gafel yn dynn yn'do fe nes bo' fi'n cyrra'dd.

Shoni: Ond fe ofales i ollwng 'i fraich e'n rhydd iddo fe ga'l rhoi 'i law yn 'i boced! Beth 'na'th 'y nghoglish i o'dd 'i esgus e dros beido talu'r ddyled i gyd. Gofyn am ostyngiad achos bo' fe'n Fethodist! Ma' *Golwg ar Deyrnas Crist* yn fargen ta beth. A fe ga'th e wbod 'nny 'da fi 'fyd. Odyn nhw'n disgwl i chi whysu am orie'n sgrifennu am ddim?

Wil: Wel o leia o'dd e wedi dangos diddordeb. Dim fel yr Annibynwyr. 'Nan nhw ddim prynu un llyfyr.

Shoni: Penne defed.

Wil: Ie, sa i'n gwbod beth sy'n bod arnyn nhw.

Shoni: Cenfigen yw e. Ma'r peth mor glir â haul ar bost . . . Cenfigen y mab hyna. O'ch chi'n un ohonyn nhw. Ca'l 'ych magu'n Cefnarthen. Ond pan ethoch chi o'na, o'ch chi cyn'rwg â'r mab afradlon yn 'u tyb nhw. Ond 'na fe, ma' cenfigen yn lladd 'i berchennog. Yn llyncu fel . . . shwt weda'i . . . crocodeil, wirionedd i!

Wil: *(Yn gwenu)*

Ie crocodeil . . . Fe gofia' i am honna Shoni. Ma' fe'n byrlymu o syniade heno 'to, on'd yw e Mali?

(Fawr o hwyl ar Mali drwy'r sgwrs hon)

Shoni: Ie, ond licen i 'sen i'n galler 'u sgrifennu nhw lawr fel chi.

15

Mali:	Pwy fydde'n bugeilio wedyn?
Shoni:	Ie, 'da'r defed ma'n lle i glei.
Wil:	*(Wrth Mali)*
	Dere â diferyn o win i fi 'nei di bach?
	(Mali'n codi ac yn anelu at fynd mas)
Wil:	A dere â chwrw i Shoni 'fyd.
	(Exit Mali. Saib. Wil yn sylwi ar lyfr Shoni)
Wil:	Ti'n pori yn hwnna wyt ti? Wy'n golygu cyhoeddi ail argraffiad rywbryd pan ga' i amser. Newid rhai pethe.
Shoni:	Pam?
Wil:	Wel, ma' dyn yn ca'l rhyw oleuni newydd ar bethe o hyd twel'. Meddwl di am Yr Aurora Borealis nawr . . .
Shoni:	'Rhen *Northen Leits*! Falle cewch chi fwy o wybodeth amdanyn nhw lan sha'r *North* 'na Mishtir! Ma' nhw siŵr o fod yn 'u gweld nhw'n gliriach lan ffor' 'nny!
Wil:	*(Chwerthin)*
	Wel odyn!
Shoni:	Latin yw Aurora Borealis chi'n gwbod . . .
Wil:	Ife nawr? . . . Pwy wedodd 'na 'thot ti te?
Shoni:	Josi. O'n ni'n 'u trafod nhw pwy nosweth. O'dd e'n honni taw arwydd o ddiwedd y byd y'n nhw. Bod hi'n mynd i fod yn rhyfel . . . Y cwbwl yn llosgi'n gols . . . Fe wedes i 'tho fe bo' chi'n credu'n wahanol Mishtir. Ond ma' Josi fel asyn. Siwrne eith hi miwn i'r clopa, 'na hi wedyn.
Wil:	Ma' lot yn credu 'run peth ag e cofia. O'n i'n darllen heddi am rywrai'n dala i honni 'nny. Gweud bo' distryw mowr yn mynd i ddigwydd . . . towlu boms . . . llosgi trefydd . . . A ma' rhai'n gweud wedyn taw'r gelfyddyd newy' o *electricity* sy'n 'u achosi nhw. Ond erbyn hyn wy'n dechre credu taw

16

arwydd o'r Mil Flynyddo'dd y'n nhw. Duw yn 'yn galw ni i baratoi'n hunen ar gyfer ail ddyfodiad y Meseia. Ti'n gweld Shoni, os 'nei di sylwi'n ddigon manwl ar y goleuade, fe weli di nhw'n danso, yn gweu trwy'i gilydd i gyd . . . Gole gwyn yn saethu miwn i gwmwl du, fel 'se'r gwir yn peri i'r gau jengyd . . . A wedyn, gole coch yn lle'r gwyn, yn dangos yr Ysbryd Glân yn maeddu pechod yng ngwa'd yr Ôn . . . A wedyn, lliwe glas a melyn yn gweu trw'r gwyn a'r coch yn un ddawns orfoleddus fel 'se pawb yn gweiddi Haleliwia!

Shoni: 'Sdim diwedd arnoch chi Mishtir, wirionedd i! A ble y'ch chi'n ca'l yr amser i neud y cwbwl, sa i'n gwbod.

Wil: Ma' bywyd yn rhy fyr i wilibawan . . . Nawrte, lwyddest *ti* i neud popeth o't ti fod neud heddi?

Shoni: Do.

Wil: Dim canol y bore ma' dechre'r dydd.

Shoni: Nage.

Wil: A chofia y bydda i isie Bess a Blacen yn barod am naw bore fory.

Shoni: Iawn. Chi'n golygu mynd â llwyth o lyfre 'da chi wrth gwrs.

Wil: Odw.

(Enter Mali yn cario gwin a chwrw)

Shoni: *(Yn chwerthin)*

Tr'eni na allen i ddod 'da chi! Nelen i'n siŵr bo' nhw'n 'ych talu chi Mishtir bach!

(Shoni'n cymryd cwrw gan Mali)

Shoni: Diolch yn fowr i chi Mishtres.

Mali: *(Wrth Shoni)*

I'r dowlad wedyn . . . ar unweth. A nosweth dda o gwsg . . .

(Mali'n eistedd yn ei chadair siglo)

Shoni:	Iawn Mishtres . . . Iechyd da.
Wil:	Iechyd.
Shoni:	*(Yn chwareus wrth Mali)*
	Chi'n meddwl allwch chi ymdopi â'r ŵyna trw' bo' Mishtir a finne bant?
Mali:	Wrth gwrs 'nny . . . *A* bwydo'r ffowls a'r moch . . . a carco'r plant . . . a golchi'r llestri . . . glanhau'r tŷ . . . corddi'r menyn . . . pobi . . . golchi dillad . . .
Wil:	*(Yn siarp)*
	Beth ma'r morynion yn neud te?
	(Saib . . . Mali'n syllu ar Wil, a Shoni'n synhwyro'r tyndra rhyngddynt, yn penderfynu ceisio'i dorri . . .)
Shoni:	*(Yn gellweirus wrth Mali)*
	Chi'n gwbod, fe 'na'th un peth 'y nharo i'n od neithwr. 'Na ble o'dd Mishtir yn 'i morio hi am faddeuant a . . .
	(Shoni'n sylwi ar Wil yn syllu arno ac yn stopio ar ganol brawddeg)
Wil:	*(Yn siarp)*
	Ie?
Shoni:	Wel . . .
Wil:	Beth o't ti'n mynd i weud?
Shoni:	'Sdim ots.
Wil:	O's ma' ots! Dere, gwed 'tha i.
Mali:	Wil . . .
Wil:	Beth sy'n dy gorddi di Shoni?
Shoni:	Dim.
Wil:	Dere. Elli di'm cwato dim 'tho i.
Shoni:	Rhyw dynnu co's o'n i Mishtir. 'Na gyd.
Wil:	O'dd e'n fwy na 'nny.
Mali:	Nag o'dd Wil.
Shoni:	Wirionedd i Mishtir!

Wil:	Ond pam 'nest ti dorri ar hanner brawddeg te?
Mali:	*(Wrth Wil)*
	Tynnu dy go's di o'dd e.
Wil:	*(Wrth Shoni)*
	O'n i'n 'i morio hi am faddeuant os gwedest ti . . .
	(Shoni'n edrych yn ansicr ar Mali)
Mali:	*(Wrth Shoni)*
	Paid ca'l ofon. Gwed 'tho fe.
Shoni:	*(Wrth Wil)*
	O'ch chi'n ffaelu madde i'r bachan 'na am beido talu'i ddyled . . . A fe gofies i am "Maddau i ni ein dyledion fel y maddeuwn ninnau i'n dyledwyr."
	(Saib)
	'Na gyd . . .
	(Saib hir. Shoni yn anesmwyth. Yn sydyn, Wil yn chwerthin . . . Shoni'n chwerthin gydag e . . . Mali'n codi'n sydyn . . .)
Mali:	Wy'n mynd i'r gwely.
Wil:	Fe wela' i di yn y bore te.
Mali:	Iawn . . . Nos da . . .
	(Exit Mali. Saib)
Wil:	O't ti'm wir yn gweld bai arna'i neithwr o't ti? O'dd ar y boi 'na ddyled i fi.
Shoni:	Nag o'n!
Wil:	Ti'n siŵr?
Shoni:	Wrth gwrs bo' fi.
	(Shoni'n codi i fynd gan gario'r llyfr a'i gwrw)
Wil:	Shoni, ma'n ddrwg 'da fi . . .
Shoni:	Am beth?
Wil:	Colli 'nhymer.
Shoni:	Ma' rhaid i bawb ohonon ni neud ambell waith

	Misthir bach . . . A ta beth, fyddech chi'm pwy y'ch chi 'sech chi byth yn neud 'nny.
	(Wil yn gwenu)
Shoni:	Beth wy'n diolch amdano fe yw bo' chi'n galler wherthin. Wy'n gweud 'thoch chi *nawr*, os nag yw dyn yn galler wherthin, man a man iddo fe weud gwbei wrth y bechingalw . . . diwygiad 'ma, wirionedd i! All neb weiddi Haleliwia a neud hen swch 'run pryd!
Wil:	Ti'n iawn . . . Ond gronda . . . Rhagrith o'dd 'da ti nawr, ontefe? Fi'n pregethu maddeuant a wedyn yn ffaelu madde i rywun arall.
Shoni:	Tynnu co's o'dd e w!
Wil:	Dychanu! . . . Cystel bob tamed â'r hen Ellis Wynne. Shoni bach Pantycelyn yn nhraddodiad Ellis Wynne! Nos da Shoni.
	(Saib. Exit Shoni. Golau'n diffodd ar Wil yn synfyfyrio)

GOLYGFA 3

Pantycelyn. Bore trannoeth.
Trwy gydol yr olygfa fe welwn Mali'n helpu Wil i wisgo — crafat, gwasgod, macyn poced — ac yn gofalu fod ganddo fenig, hat etc. Mae hi'n dal ar bob cyfle i gyffwrdd â Wil, ond nid yw yntau'n cyffwrdd â hithau.

Mali:	Ody'r cwbwl 'da ti nawr?
Wil:	Ti sy'n gwbod 'nny Mali fach.
	(Saib)
	Fe wela i d'isie di. A wy'n addo dod nôl mewn pryd. Wy'n moyn iddo fe nabod 'i dad o'r dachre'n deg.
Mali:	Falle taw *hi* fydd hi.
Wil:	Beth yw'r ots? Gweddïa bod Rhaglunieth yn rhoi plentyn iach i ni. Ond weda i 'thot ti beth 'newn ni.

	Cyn dod nôl fe fydda' i wedi dewis enw i grwt, a dewisa di enw i groten. Ti'n cytuno?
Mali:	Wy wedi meddwl am un i groten.
Wil:	Wyt ti? Beth?
Mali:	Sa i'n gweud.
Wil:	Pam?
Mali:	Fe gei di wbod ar ôl iddi ga'l 'i geni.
Wil:	O! Fel'na ma' hi ife? Ers pryd wyt ti wedi penderfynu peido gweud y cwbwl 'tha i?
Mali:	Odw i'n ca'l gwbod dy feddylie dithe i gyd?
Wil:	Sa i'n cwato dim o wrthot ti.
Mali:	'Sdim hawl 'da ni gadw ambell beth i ni'n hunen? Wedi'r cwbwl y'n ni'n ddou berson gwahanol.
Wil:	O! Wyt ti'n codi cwestiwn mowr nawr.
Mali:	*(Yn ochneidio)*

Odw . . .

(Wil yn sylwi ar ei hanesmwythyd)

| Wil: | Mali, o's rhwbeth yn bod? |

(Saib)

Wy'n gwbod beth sy'n dy fecso di. Ti'm isie i fi fynd ar y daith 'ma, wyt ti. So ti'n credu dylen i. 'Na beth sy'n dy gorddi di, ontefe?

(Saib. Dim ateb gan Mali)

| Wil: | Gwed . . . Ti 'di bod yn ddywedwst iawn ers dyddie. |
| Mali: | A tithe! |

(Wil yn cefnu arni . . .)

| Wil: | Ca'l pwl o'r falen nes i ontefe! Ti'n hen gyfarwydd â 'nny ers naw mlynedd a mwy — wy *yn* mynd i'r gwaelodion ambell waith . . . Ond fel arfer, wyt ti'n llawn cydymdeimlad . . . Yn fo'lon bod yn stiward i fi. |

(Wil yn syllu arni)

Ond dim y tro hyn . . . 'Na fe, pam ddylen i ddisgwl i ti'n helpu i? . . . Pan eith ysbryd dyn yn is na seilie'r cread, rhynto fe a'i Greawdwr yw hi wedyn.

(Saib. Mali'n mynd ato gan gyffwrdd â'i fraich)

Mali: Wil . . .

Wil: Ie?

(Saib)

Mali: Cer nawr. A dere nôl ata i'n saff, i ti ga'l . . .

Wil: Ie?

Mali: I *ti* ga'l bod yn stiward i fi.

Wil: Ond o'n i'n meddwl bo' fi bob amser! Mali fach, wy 'di bod yn glust i ti ar hyd y blynydde, a o'n i'n meddwl bo' ti'n gwerthfawrogi unrhyw gyngor o'n i'n 'roi . . .

(Saib)

O, beth sy'n bod bach?

Mali: Paid â gofyn 'nna i fi o hyd!

Wil: Ond beth ti'n ddisgwl i fi neud? Wy 'di sylwi . . .

Mali: Sylwi! So ti 'di sylwi ar ddim ers dyddie Wil! Pan wyt ti mewn pwl o isholder, pan wyt ti yng nghrafanc y falen, ti'm yn sylwi arna i, nag ar y plant . . . na neb. Ti'n troi dy gefen ar bawb a gweld bwganod ymhobman.

Wil: Ond sa i'n troi 'nghefen arnat ti nawr! Wy 'di gofyn i ti beth sy'n bod. Ond beth alla i neud os na cha' i ateb 'da ti? All meddyg ddim gwella'r claf os na wedith y claf ble ma'r po'n.

Mali: Ond beth os o's ofon gweud ar y claf? A 'se fe *yn* gweud, falle y bydde'r meddyg yn ca'l mwy o ofon na'r claf.

(Enter Shoni)

Shoni: Ma' Bess a Blacen yn barod Mishtir.

Wil:	*(Yn siarp wrth Shoni)*
	Cer o'ma!
Mali:	Wil!
Shoni:	*(Yn betrus)*
	Well i chi hastu . . . Ma' rhyw gwmwle duon wedi dechre crynhoi dros Gil-y-cwm. Ma' hi'n macsu am storom . . .
Wil:	*(Wrth Shoni)*
	Ma'n ddrwg 'da fi Shoni. Diolch i ti, wy ar 'yn ffordd.
Mali:	*(Wrth Shoni)*
	Cer i alw'r plant.
Shoni:	Iawn Mishtres.
	(Shoni'n troi i fynd)
Wil:	Shoni? Carca bawb 'nei di?
Shoni:	Fe 'na i ngore. Fe fydd Pantycelyn 'ma pan ddewch chi nôl, peidwch chi â becso!
	(Mali'n rhoi cot fawr Wil amdano . . .)
Shoni:	Mishtir bach, y'ch chi'n drychyd yn reial bregethwr yn honna! Fel un o'r hen broffwydi! Cofiwch bo' chi'n 'i rhoi hi i'r genedl Iddewig lan sha'r North 'na. A gobeitho gna nhw ryw gyfiawnder â'ch emyne chi. So nhw'n galler canu fel ni odyn nhw?
Wil:	Shwt wyt ti'n gwbod 'nny? So ti eriôd wedi bod 'na.
Shoni:	Odw i! Wy 'di bod yn Llangeitho!
Wil:	So Llangeitho'n y North Shoni bach.
Shoni:	Ma' fe'n hen ddigon o North i *fi*!
	(Exit Shoni. Wil yn gorfod gwenu wrth godi'i fenig a'i hat a throi i fynd. Yn sydyn, Mali'n ei gofleidio)
Mali:	Wil . . . Wy'n dy garu di . . . Ta ble fyddi di, cofia di 'nny . . .
Wil:	A wy'n dy garu dithe . . .
	(Saib. Exit Wil. Y golau'n diffodd yn raddol ar Mali'n rhewi . . .)

GOLYGFA 4

Pantycelyn. Ganol prynhawn, ymhen pythefnos.
Shoni'n arwain Martha i mewn. Mae golwg flinedig ac anniben iawn
arni.

Shoni:	Ie, ie . . . Mater o ddyddie yw hi cyn bo'r pumed plentyn ar yr aelwyd 'ma . . .
Martha:	Dou weles i mas ar y clos nawr.
Shoni:	Amelia a William, y ddou hyna. Ma'r forwn fowr yn carco'r ddou leia. Grondwch, chi'n siŵr bo' chi ddim isie i fi alw'r Mishtres?
Martha:	Na, dim o gwbwl . . . Ma' hi'n bwysig bod hi'n ca'l gorffwys.
Shoni:	Fydd hi'n mynd i orwedd am ryw awr fach bob prynhawn.
Martha:	'Na'r peth gore allith hi neud, â'i hamser hi mor agos. Ma' hi siŵr o fod yn blino'n ofnadw, rhwng y cario a magu'r pedwar arall.
Shoni:	Chi'n swno'n awdurdodol iawn ymbytu'r pethe 'ma!
Martha:	Wy 'di helpu dod â un ne' ddou i'r hen fyd 'ma. A ma' dou 'da fi'n hunan cofiwch. Gobitho bo' nhw'n bihafio mas 'na . . . Bo' nhw'm yn neud niwed i'r ôn swci bach pert 'na!
Shoni:	Ma'n nhw'n bihafio'n well na Amelia a William alla'i fentro. Dou gythrel bach yw'r rheiny! Sach bo' nhw'n werth y byd!
	(Martha'n suddo'n flinedig i'r gadair siglo . . .)
Shoni:	Alla'i hôl rhwbeth i chi? Tamed bach o fwyd?
Martha:	Na, dim diolch. Blinder yw e 'na'i gyd.
Shoni:	Chi 'di dod bellter?
Martha:	O Dregaron . . .
Shoni:	Cerwch o 'ma!
Martha:	Ddechreuon ni dridie nôl . . .

Shoni:	Cer'ed bob cam?
Martha:	Ie, ar wahân i rhwng Nantllwyd a Rhandirmwyn. Gododd rhyw ffarmwr ni yn 'i gambo, whare teg 'ddo fe.
Shoni:	Beth am y ddou fach?
Martha:	Cer'ed, a finne'n 'u cario nhw ar 'y nghefen bob yn ail . . .
Shoni:	Jiw! Jiw! O'dd nerth 'da chi!
Martha:	*Ca'l* nerth o'n i. O'dd yr Arglwydd Iesu Grist 'da ni bob cam o'r ffordd . . .
Shoni:	*(Dan ei wynt)*
	Yffarn dân!
	(Martha'n siglo'r gadair . . .)
Martha:	Chi 'di cysgu mewn tas wair eriôd?
Shoni:	*(Yn gellweirus)*
	Wy 'di hala sawl nosweth mewn tas wair fan hyn a fan draw! Ond dim cysgu o'n i'n neud, cofiwch!
Martha:	Chysges inne ddim neithwr chwaith. Llefen y plant a sŵn y llygod o'dd yn 'y nghadw i ar ddihun.
	(Shoni'n sylweddoli 'i fod wedi mynd yn rhy bell, ac yn newid y pwnc . . .)
Shoni:	Tregaron ife . . .
Martha:	Ie, chi 'di bod 'na?
Shoni:	Ryw ddwy flynedd nôl — pan es i i Langeitho i Gyrdde Pregethu.
Martha:	O! A beth o'ch chi'n feddwl?
Shoni:	Weles i'm byd ond cors.
Martha:	Ond beth o'ch chi'n feddwl o'r cyrdde? Weloch chi Daniel Rowland?
Shoni:	Do, do. A o'dd treial dyall beth o'dd 'da hwnnw i weud yn wa'th na bracso drw'r gors!
	(Martha'n gorfod gwenu . . .)

Shoni: Jawl, o'n i'n falch ca'l dod mas o afel y siglen, wirionedd i!

Martha: Ma' canno'dd, milo'dd, 'di ca'l profiade mowr 'na.

Shoni: Sa i'n gweud llai. Ond un peth yw *ca'l* y profiad — pobol yn heido 'na fel defed, grondo'n gegrwth, gweiddi "Amen" a "Haleliwia" yn y manne iawn, a gorwedd ar lawr fel 'se nhw ar bango! Allith unrhyw ffŵl neud 'nny. Peth arall yw *dyall* y profiad, a gwbod shwt ma' ymdopi 'dag e. A 'na'n gwmws beth wy'n ffaelu neud. Sach bo fi'n byw fan hyn ym Mhantycelyn o bobman, a'r Mishtir yn un o'r bois mwya welodd yr hen wlad 'ma eriôd, a finne'n galler 'i holi fe'n dwll pryd lica i, wy'n dala i ffaelu dyall.

Martha: Dyall beth?

Shoni: Jawch, yr holl syniade newydd 'ma sy ar gered. Wy'n teimlo mor dwp pan fydd Mishtir yn treial 'yn rhoi i ar ben ffordd. 'Na fe, 'sdim disgwl i ryw dipyn o was ffarm ddyall y dirgelion i gyd o's e . . . Y cwbwl weda'i yw bo' fi'n treial 'y ngore . . .

Martha: Dim dyall syniade yw'r gamp, ond nabod yr Arglwydd fel 'ych iachawdwr.

           (*Saib. Shoni'n syllu arni*)

Shoni: Chi wedi ca'l twtsh te.

Martha: Wy wedi dod i nabod yr Arglwydd Iesu.

Shoni: Ond 'na beth wy newydd weud 'thoch chi. Sa i'n dyall! Beth yn gwmws y'ch chi'n feddwl "Nabod yr Arglwydd Iesu"?

Martha: Gwbod i sicrwydd bo' fe'n 'y nabod *i*, gorff ac ened.

           (*Shoni'n syllu arni a hithau'n ymwybodol o hynny. Mae hi'n edrych ar y llestri ar y seld*)

Martha: Wy'n nabod y llestri pert 'na . . .

Shoni: Odych chi!

Martha: Pen-lan, Llansewyl . . . Mam Mary o'dd bia nhw . . .

Shoni:	Mary? O! Mishtres! Mali ma' fe Mishtir yn 'i galw hi.
Martha:	Ife nawr . . . Ma' fe bant te . . .
Shoni:	Ody, ers pythewnos. Ond ma' fe ar 'i ffordd nôl erbyn hyn. Dim ond jyst mewn pryd i'r geni siŵr o fod . . . 'Na fe, 'weda'i ddim . . .
Martha:	Ma' fe bant yn amal.
Shoni:	Rhyntoch chi a fi a'r wal 'ma — ma' fe bant fwy na ma' fe gatre! 'Na fe, so fe'n fusnes i fi ody fe . . .
	(Enter Mali)
Mali:	Shoni! Pwy sy 'ma?
	(Martha'n troi i wynebu Mali)
Martha:	Shwt wyt ti Mary? . . . Ers blynydde . . . Ti'n edrych yn dda.
	(Saib)
Mali:	Martha! O, Martha fach, shwt wyt *ti*?
	(Y ddwy'n cofleidio'n llawn emosiwn. Shoni'n cripan mas yn dawel heb iddyn nhw sylwi . . .)

GOLYGFA 5

Cegin Pantycelyn. Y noson honno. Mali'n eistedd ar ei phen ei hunan, yn hymian canu'n isel . . . "Si hei lwli blentyn bach . . . " Pan geir golau fe welwn Shoni'n sefyll wrth ddrws y gegin yn gwrando arni nes iddi orffen canu . . .

Shoni:	Wy'n mynd nôl at y defed nawrte Mishtres . . .
Mali:	Shoni! Weles i mohonot ti fanna . . .
Shoni:	Lico grondo arnoch chi'n canu o'n i . . .
	(Shoni'n troi i fynd ond yna'n troi nôl)
	Ma' gwell golwg ar 'ych ffrind chi erbyn hyn.
Mali:	O's . . .
Shoni:	A o'dd y ddou blentyn i weld yn itha jocôs amser

swper 'fyd. O'n nhw'n llympro'u bwyd yn wa'th na'r hen ôn swci! Jyst â starfo wrth gwrs . . .

(Saib. Mali ddim yn ymateb. Shoni'n mentro eistedd . . .)

A 'na ddou fach bert y'n nhw! Ond sa i'n 'u gweld nhw'n debyg iddi mam chwaith. Dilyn 'u tad ma' nhw ife?

Mali: Sa i'n gwbod Shoni . . .

Shoni: So chi'n 'i nabod e?

Mali: Nagw . . .

         (Saib)

Shoni: Slawer dydd o'ch chi'ch dwy'n ffrins te. Cyn i chi ffindo bobo ŵr!

Mali: Ie . . .

Shoni: Beth yw 'i waith e? 'I gŵr hi?

Mali: Teilwr . . .

Shoni: Wel, wel! Tr'eni na fydde fe'n dilladu'i wraig a'i blant yn well te! On'd o'dd golwg arnyn nhw!

Mali: *(Yn siarp)*

         O'dd golwg arnyn nhw Shoni am bo' nhw 'di bod yn cer'ed ers tridie!

         (Saib annifyr. Shoni'n codi . . .)

Shoni: Iawn . . . Wy'n mynd at y defed te . . .

         (Mali'n edifarhau am fod mor siarp . . .)

Mali: Shoni . . . Ti'n mynd i offod bod ar dy dra'd trw'r nos?

Shoni: Odw. Cysgu'n 'gorlan fydda i heno achos wy'n ofni bo' trwbwl o fla'n un druan. 'Sdim i neud ond cadw llygad arni, a gobeitho'r gore.

Mali: Whare teg i ti.

Shoni: Ma' pob un yn bwysig Mishtres fach.

         (Chwerthin)

         Falle bo' fe Mishtir yn pregethu'r bregeth 'na'r

funud 'ma lan sha'r North! "Pa ddyn ohonoch a chanddo gant o ddefaid, ac os cyll un ohonynt . . .

(Heb i Shoni ei gweld, enter Martha, wedi molchi a chymhennu, ac yn edrych dipyn gwell ar ôl cael benthyg ffrog gan Mali — gan fod y newid mor sydyn fe ddylai fod wedi gwisgo honno o dan ei dillad anniben yn yr olygfa flaenorol)

" . . . nid yw yn gadael yr amyn un pum ugain yn yr anialwch, ac yn myned ar ôl yr hon a gollwyd, hyd oni . . .

(Shoni'n troi a gweld Martha . . .)

. . . chaffo efe hi?"

Martha:	"Ac wedi iddo ei chael Efe a'i dyd hi ar ei ysgwyddau ei hun yn llawen . . . "

(Shoni'n adennill ei hunan hyder . . .)

Shoni:	"A phan ddêl adref, Efe a eilw ynghyd ei gyfeillion a'i gymdogion, gan ddywedyd wrthynt, Llawenhewch gyda mi; canys cefais fy nafad a gollasid . . . "

(Saib. Martha a Shoni'n gwenu ar ei gilydd)

Mali:	*(Wrth Martha)*
	Odyn nhw'n cysgu?
Martha:	Odyn, fel gwahaddod bach. Ma'n nhw wedi blino'n garn druen.
Mali:	Pwy ryfedd, ar ôl y tridie dwetha 'ma.
Martha:	Ie . . . Ond fe fyddan nhw fel adar ymbytu'r lle 'ma ar doriad gwawr, gewch chi weld.
Shoni:	Halwch nhw mas ata'i i a'r ŵyn bach! Gân' nhw adar 'da fi!

(Shoni'n troi i fynd ond Mali'n ei atal wrth fynd a chodi llythyr o'r seld . . .)

Mali:	O, Shoni, wy isie darllen rhwbeth i ti . . . Y llythyr dda'th 'wrth Mishtir bore 'ma. Ma' hwyl dda iawn arno fe.

Shoni:	O! So pobol wyllt y North wedi'i fyta fe'n fyw 'to te!
Mali:	Nadyn . . . Ond dere weld nawr, ma' fe 'di sgrifennu pennill i ni . . . Rhoi orders i ni ar gân! Reit . . . I fi ma' hwn!

"Palwch bedwar gwely
I ddodi pys a ffa . . . "

(Yn rhoi 'i dwylo dros 'i bol sylweddol ac yn chwerthin)

Mali:	Hy!
Shoni:	Reit Mishtres, fydda i'n dishgwl 'ych gweld chi mas yn 'rardd peth cynta bore fory!

(Y ddau'n chwerthin ond Martha yn ei byd bach ei hunan)

Mali:	Ond aros di, ma' mwy o orders 'to . . .

"Rhowch gwart o gwrw i Shoni,
A dwedwch wrtho'n fwyn,
Am iddo godi'n fore
I edrych am yr ŵyn . . . "

(Shoni'n edrych rownd)

Shoni:	Sa i'n 'i weld e!
Mali:	Beth?
Shoni:	Y cwart colledig!

(Mali'n gwenu, ac yn rhoi jwg iddo)

Mali:	Co ti . . .
Shoni:	Tynnu'ch co's chi o'n i Mishtres fach!
Mali:	Pan fydd y Mishtir yn rhoi orders Shoni, ma'n rhaid ufuddhau iddyn nhw!
Shoni:	Wel, diolch yn fowr. Gadwith hwn fi fel tostyn drw'r nos nawr.

(Wrth Martha)

A chofiwch hala'r plant 'na mas ata'i bore fory.

(Nid yw Martha'n ymateb)

Shoni:	Nos da i chi'ch dwy . . .
Mali:	Nos da Shoni . . . A diolch i ti . . .

(Shoni'n edrych ar Martha am eiliad cyn mynd mas. Saib)

Mali: Martha . . .

Martha: Ie?

Mali: O't ti'n bell . . . Ble o't ti?

Martha: Mewn ogof dywyll Mary fach . . . A'r cwbwl yn cau amdana'i . . .

Mali: Dere nawr. Fan hyn 'da fi ym Mhantycelyn wyt ti, a ma' hi'n ole 'mla'n.

           (Martha'n gorfod chwerthin)

Mali: Pam ti'n wherthin?

Martha: Ti sy'n dala i weud 'na — "Ma' hi'n ole 'mla'n . . . " Yn gwmws fel o't ti slawer dydd pan o't ti'n bymtheg o'd!

Mali: Pan o'n i'n treial 'y ngore i dy gadw di ar y llwybyr cul!

Martha: Cer o 'ma! O'dd e'n rhy gul i'r ddwy ohonon ni pry'nny, on'd o'dd e!

           (Mali'n rhoi gwin i Martha, ac yna'n arllwys un iddi hi ei hunan . . .)

Mali: Wel, fe gethon ni'n temto'n amal i grwydro odd' arno fe.

Martha: Do glei! Ti'n cofio'r nosweth ffair 'nny gethon ni stŵr am aros mas ar ôl iddi dywyllu 'da'r cryts 'na o Lambed . . .

Mali: Odw . . . Dou fach bert o'n nhw 'fyd.

Martha: Pertach na chryts Llansewyl! Ne' fel'ny o'n ni'n credu ar y pryd!

Mali: Weles i'm o 'nhad eriôd mor grac . . .

Martha: Ond chest ti'm gwialen fedw fel fi! 'Na fe, fi o'dd yn ca'l y bai fel arfer. Fi o'dd yn dy dynnu di ar gyfeiliorn . . . Fi o'dd yn pechu . . .

Mali: O'n inne'n bechadur bach bodlon iawn 'fyd os wyt

31

ti'n cofio! Ond pechode itha diniwed o'dd 'da ni ta
beth.

Martha: *(Yn dynwared oedolyn)*

"Cofia di ddod nôl cyn nos nawr; dim crwydro ar
'ffor' gatre; a fydda'i'n dishgwl amdanat ti ar ben
'rhewl!" Fuodd e'n dishgwl am ddwyawr! A 'na
grasfa ges i! O'dd cefen 'y nghoese i ar dân cyn
cyrradd y tŷ!

(Saib ac ochenaid)

O, o'dd 'u hen lwybyr nhw'n rhy gul, on'd o'dd
e . . .

Mali: A fydd 'yn plant ni'n gweud yn gwmws 'run peth
amdanon ni . . .

Martha: Fydda i'n gadel i 'mhlant i ddewis 'u llwybre 'u
hunen.

Mali: Fyddi di nawr? Fel nest *ti*, ife? Cwrso Ben Teilwr i
Dregaron a'i briodi fe yn erbyn ewyllys dy rieni?
Fyddet ti'n folon i Mari fach neud 'nny?

Martha: Wel o leia fi 'na'th y dewis! Dim ti ddewisodd mynd
i Landdowror! Ca'l dy hala 'na 'nest ti i ddysgu
maners 'da Griffith Jones a'i wraig.

Mali: O'n i'n derbyn disgybleth 'yn rhieni.

Martha: A rhan o'u disgybleth nhw o'dd dy siarso di i beido
neud dim â fi.

Mali: Martha . . .

Martha: Paid â 'nhwyllo i Mali. Ma' fe'n wir. Yr unig ffrind
o'dd 'da fi yn y byd . . .

(Martha ar dorri lawr. Mali'n cyffwrdd â hi)

Mali: Wy'n ffrind i ti o hyd. Dere nawr, wy'n folon
grondo . . .

Martha: Ddiflases i hen ddigon arnat ti'r prynhawn 'ma.

Mali: Ond wy isie gwbod mwy.

Martha: Am 'yn niflastod i? A hwnnw'n cau amdana'i fel
niwl y gors . . . yn 'y myta i i'r byw?

Mali:	Am dy briodas di . . .
Martha:	"Priodas" — sa i'n gwbod ystyr y gair.
Mali:	Ma' gŵr 'da ti, Martha . . . Beth am ddachre 'da hwnnw?
Martha:	Gŵr? . . . Lwmpyn o garreg . . . Bwystfil!
Mali:	Ond fuodd e'n gariad i ti unweth . . .
Martha:	O do . . . Cariad o'dd yn hala ias lawr 'y nghefen i dim ond i fi feddwl amdano fe . . . O'n i'n gwrido wrth glywed 'i enw e . . . O'n i'n ffaelu godde awr heb 'i gwmni e . . . O'dd e'n golygu mwy i fi na dim na neb . . . A finne'n groten fach ifanc, lysti, yn dwli ar 'i sylw e; yn falch taw fi — fi o bawb! — o'dd e wedi 'i dewis o'r crotesi i gyd. Ben y teilwr bach pert, â'i wên ddireidus a'i lyged bach dansherus . . .
	(Martha'n sydyn yn gafael ym mraich Mali a hithau'n dechrau teimlo'n annifyr . . .)
	Mynd i gwato 'dag e o'wrth y byd, dim ond ni'n dou a'r lleuad, a nwyd yn garthen rownd i ni . . . Whilo'r llefydd saff i garu — unrhyw wely gwag cyfleus, bôn clawdd ne' ogof dywyll . . .
	(Mali'n symud i'w chadair siglo . . .)
	Ond caru mewn tas wair o'dd ore, a'r llygod bach yn pipo arnon ni'n syn . . .
Mali:	Fe gwmpest ti dros dy ben.
Martha:	Do, a gwbod yn 'y nghalon bo' fi'n whare â thân. Ond o'dd y whant mor gryf . . .
Mali:	A'r cnawd mor barod . . .
Martha:	O'dd! O'n i'n ysu amdano fe, a fe amdana inne! O'n ni'n llosgi'n gilydd yn fflam annioddefol dim ond i ni dwtsh! O Mary fach, hwnnw o'dd y tân melysa brofes i eriôd.
Mali:	A nawr ma' fe wedi diffodd . . .
Martha:	A 'sdim byd ar ôl ond lludw . . .
	(Saib)

	Brofest ti dân fel 'na eriôd Mary? Tân sy'n dy losgi di'n gols a thithe'n joio pob eiliad?
Mali:	Ma' tân heb 'i reoli'n ddansherus.
Martha:	Ond *brofest* ti e Mary? Ti a William? Na, 'sdim hawl 'da fi holi . . .
Mali:	Gwres tyner fuodd rhwng Wil a fi o'r dachre, dim tân.
Martha:	Fe dowloch chi ddŵr ôr ar y fflame!
Mali:	Na! Roion ni'm cyfle iddyn nhw dano!
Martha:	O dere!
Mali:	Do'dd dim isie fflame arnon ni! O'dd y cwbwl o'n ni moyn 'da ni yn 'yn calonne. Cariad dwfwn . . . Parch at 'yn gilydd . . . Goddefgarwch . . .
Martha:	Goddefgarwch. Beth yn gwmws yw hwnnw gwed?
	(*Saib fer . . .*)
Mali:	Licet ti fwy o win, Martha?
Martha:	Ti'n fenyw lwcus Mary, bo' ti'n galler bod yn oddefgar.
Mali:	Caru Wil sy'n gyfrifol am 'nny! A mwy na 'nny, ma'r dyn wy'n 'i garu yn 'y ngharu *i*. Beth fwy alle unrhyw fenyw 'i ddymuno?
Martha:	Ma' cariad yn frou.
Mali:	Martha fach, "Cariad byth ni chwymp ymaith".
Martha:	So Ben Teilwr yn credu 'nny!
Mali:	Ond 'sdim disgwl iddo fe, a fynte o'r byd.
Martha:	Na, a 'sdim pwynt i fi dowlu'r Testament Newydd ato fe.
Mali:	*Byw*'r Testament Newydd yw dy ddyletswydd di.
Martha:	Pregethu cariad wrth rywun sy'n 'y nghasáu i? Mynd lawr ar 'y nglinie a gweud "Ben bach, cariad byth ni chwymp ymaith!" Dwrn gelen i!
Mali:'	Ma'n rhaid i ni gredu mewn cariad ne' 'sdim byd 'da ni! "Heb gariad gennyf, nid wyf fi ddim". Cariad yw dachre a diwedd y cwbwl.

Martha:	Ben weden i 'tho fe — "Y mae cariad yn hirymaros, yn gymwynasgar; cariad nid yw yn cenfigennu . . . " Ben — "Nid yw yn gwneuthur yn anweddaidd, nid yw yn ceisio'r eiddo'i hun, ni chythruddir, ni feddwl ddrwg . . . " Ben — "Y mae cariad yn dioddef pob dim . . . " Dwli, Mary. Ma'r Apostol Paul yn siarad dwli!
Mali:	Martha fach, paid!
Martha:	Ond allith cariad ddim godde popeth! All cariad ddim madde i feddwyn sy'n neud sbort am 'y mhen i, sy'n meddwl bo' fi'n wa'th na'r baw sy' ar 'i sgidie fe! Sy'n whantu cyrff menwod erill bob cyfle geith e . . . Yn mesur 'u bronne a'u penole nhw â'i lyged bach dansherus! Mary fach, ma'r dyn fues i'n twmblo 'dag e unweth yn y teisi gwair yn twmblo'r dyddie hyn 'da'i fenwod ffansi — ac yn 'y ngalw inne'n hen das hyll . . .

(Saib)

Beth s'da'r Apostol Paul i weud wrth fenwod fel fi sy'n goffod godde'r pethe 'na, Mary? Beth ma *fe'n* wbod? Gwed wrtha'i!

(Saib)

Weda'i wrthot ti — so fe'n gwbod dim. Dim!

Mali:	Sôn am gariad Duw ma'r Apostol. Cariad er gwaetha popeth. 'Na beth o'dd cariad yr Arglwydd Iesu ar y groes. Caru'r bobol o'dd yn 'i gasáu fe . . . O'dd yn 'i groeshoelio fe!
Martha:	Shwt ma' caru bwystfil?
Mali:	Drw' d'agor dy hunan i rym cariad yr Arglwydd Iesu.
Martha:	Wy *yn* agored i hwnnw . . . Ond y broblem s'da fi yw bo' fi'n agored i rym arall hefyd.
Mali:	Beth?
Martha:	Yr un grym o'dd yn 'yn rheoli i bymtheg mlynedd nôl pan gwrddes i gynta â Ben.

Mali:	Ond *nwyd* o'dd hwnnw Martha! Nwyd heb 'i ddisgyblu! Whant cnawdol! Paid â threial gweud wrtha'i bo' ti'n teimlo hwnnw nawr! A thithe'n bymtheg ar hugen o'd, yn briod, ac yn fam i ddou o blant!
	(Martha'n pwyntio at feichiogrwydd Mali)
Martha:	A beth sy'n gyfrifol am hwnna te? Nwyd *wedi'i* ddisgyblu?
Mali:	Nage — cariad!
	(Martha'n syllu arni am eiliad . . .)
Martha:	Wy'n credu bo' Mari fach yn llefen.
	(Exit Martha. Y golau'n diffodd yn raddol ar Mali'n rhoi ei phen yn ei dwylo . . .)

GOLYGFA 6

Pantycelyn. Ymhen wythnos.
Martha yn eistedd yn y gadair siglo ac yn hymian tôn 'Diniweidrwydd'.
Yna y mae'n dechrau canu . . .

"Wedi'm golchi oddi wrth sorod
Pechod ffiaidd drwg ei ryw,
Fel drych golau i dderbyn delw
Holl sancteiddrwydd pur fy Nuw . . . "

(Martha'n codi o'r gadair ac yn dechrau dawnsio'n nwydus . . . ar ôl ysbaid enter Wil a Mali, a'i gwylio heb iddi hithau sylwi arnyn nhw . . .)

"Nid rhaid teithio'r ddaear mwyach
Ymhlith pryfed gwael y llawr
Ond disgleirio ymhlith myrddiynau
Gylch yr orsedd fel y wawr."

(Martha'n eu gweld . . .)

Wil:	Ma' golwg hapus iawn arnot ti Martha.
Martha:	Sa i 'di danso ers blynydde.
Mali:	Na finne!

Martha:	Dansa 'da fi nawr te.
Mali:	Shwt alla' i?

(Mali'n eistedd yn drwm yn ei chadair siglo . . .)

Wil:	Ma' bod ym Mhantycelyn wedi neud lles i ti te. A ma' 'na groeso i ti aros 'ma faint lici di. Ti'n dyall 'nny, on'wyt ti?
Martha:	Diolch, ond ddylen i'm cwmryd mantes . . .
Wil:	O! Ma' 'na ffordd iddi dalu nôl i ni on'd o's e Mali?
Mali:	O's.
Wil:	'Rhen Elinor Ffos Las y fydwreg sy'n dost. Fydd hi'n ffaelu bod 'ma.

(Yn gellweirus)

Cofia, 'sdim isie becso. Fe fydda i 'ma . . .

Mali:	Ti! O, dim diolch! A tithe'n tindroi a chnoi d'ewinedd i'r byw!

(Wrth Martha)

Fe fuodd y Bod Mowr yn garedig iawn wrth genhedleth o gleifion wrth 'i rwystro fe rhag mynd yn feddyg!

Martha:	*(Yn gwenu)*

Wel sa i'n gwbod ymbytu 'nny, ond fe fydde hi'n dlawd iawn arnon ni heb 'i emyne fe, on'bydde hi?

Wil:	Wy'n itha balch o ambell un ma'n rhaid i fi weud. O'dd pobol Clynnog Fowr wedi dwli ar un yn arbennig.
Martha:	O? P'un yw hwnnw te?
Wil:	Wel, nosweth cyn cynnal cwrdd pregethu o'dd hi, a finne'n ffaelu cysgu. O'dd 'rhen Bantycelyn yn bell iawn o Glynnog Fowr yn Arfon nosweth 'nny. O'dd hireth mowr arna'i am bawb — y defed a'r moch, y cŵn, yr hen blant, Shoni, y forwyn fach . . . a tithe wrth gwrs! . . .

(Mali'n ochneidio. Er ei bod hi'n falch o weld Wil yn ei ôl, mae rhyw gwmwl ar ei gwedd . . . Serch hynny, nid yw Wil yn synhwyro'i hanniddigrwydd . . .)

"Nesa dipyn at yr erchwyn" wedes i 'tho fe. "Gad i mi gael cysgu gronyn . . . " Ac er mwyn lleddfu tipyn ar y pwl, fe gyfansoddes i bennill bach . . .

"Hed y gwcw, hed yn fuan,
Hed aderyn glas 'i liw,
Hed oddi yma i Bantycelyn;
Gwed wrth Mali mod i'n fyw."

Dranno'th yn y cwrdd o'n i'n ffaelu dyall pam o'dd y codwr canu'n sefyll fel bwmbwrth o fla'n y gynulleidfa, yn drychyd yn syn ar y pishyn papur o'n i newydd 'i roi iddo fe. Wedyn 'ma fe'n troi ata' i a gofyn os o'n i'n golygu i'r geire 'ma ga'l 'u canu. "Odw, odw" mynte fi. "Mae'r iechydwriaeth fel y môr, Yn chwyddo byth i'r lan . . . "

(Acen ogleddol)

"Nid dyna be' sgin i fa'ma" mynte fe. "Beth sgin i ydi — Hed y gwcw, hed yn fuan!" 'Na beth o'dd cawdel! Sa i'n gwbod beth wede Daniel Rowland!

Mali: Wel fe alle hi fod yn wa'th. Beth 'sen nhw 'di ca'l y pys a'r ffa a'r cwart o gwrw?

Wil: Fe gyrhaeddodd y llythyr 'nny te.

Mali: Do do. A ma' Shoni a fi 'di bod yn trafod ar bwy dôn ddylen i ganu shwt eire!

Wil: *(Chwerthin)*

Ble ma'r hen Shoni?

Mali: Lan 'da'r defed.

Wil: Ar ôl i'r pwdryn ga'l 'i gwart o gwrw, ife!

Mali: Ma' calon 'rhen Shoni'n iawn.

Wil: O ody, ma' hi'n iach iawn, achos so fe wedi rhoi straen arni ariôd!

Mali: Ma' Shoni'n werth y byd. Beth 'nelen ni hebddo fe, a tithe bant mor amal?

(Saib anesmwyth)

Wil: *(Wrth Martha)*

Ma'r hen blant yn iawn te?

Martha:	Odyn, a styried, ontefe?
Mali:	Y'n ni'n dwy wedi ca'l sawl seiat.
Wil:	Wel dim ond lles all ddeillio o ga'l siarad â rhywun. Ma' isie rhyw glust ar bawb.
Mali:	O's. Pawb â'i wair yw hi . . .
Wil:	Os alla'i helpu Martha . . .
Martha:	Ma' digon 'da chi'ch dou i feddwl amdano fe, heb i fi'ch llwytho chi â 'mhrobleme i.
Wil:	O! Ma' Mali a finne'n bwrw trwyddi'n syndod. Y'n ni'n dou wedi ca'l 'yn bendithio. A so ni wedi gweld unrhyw storom fowr i'n shiglo ni.
	(Enter Shoni)
Shoni:	Mishtir! Croeso nôl!
Wil:	Diolch, Shoni. Shwt ma' pethe?
Shoni:	Weles i'm gwanwn tebyg i hwn. Sach bo ni 'di ca'l ambell storom, so ni 'di colli un ôn!
Wil:	Wel, Mali fach, allwn ni anghofio am Elinor Ffos Las a Martha, â bydwreg fel Shoni 'da ni!
Shoni:	O na, Mishtir bach, fydde hwnna'n ormod o faich i fi.
Wil:	Ie, 'da'r defed ma' dy le di . . . Wel, ma' achos diolch 'da ni unweth 'to te.
Shoni:	O's wir. Ond 'na fe, sa i'n synnu damed.
Wil:	Pam?
Shoni:	Achos os nag yw e lan fanna'n mynd i garco Pantycelyn, wfft 'ddo fe.
Mali:	Ti'n rhyfygu nawr.
Shoni:	Nadw i. Ma' sens yn gweud bo' fe'n mynd i neud 'i ore dros 'i bobol 'i hunan . . .
Wil:	Ma' fe'n neud 'i ore dros bawb Shoni.
Shoni:	Ond ma' fe'n dachre 'da'i bobol 'i hunan on'd yw e?
Wil:	Beth ti'n feddwl?
Shoni:	Y bobol sy'n galler credu'n rhwydd yn 'i Raglunieth

e. Pan o'n i lan 'da'r defed nawr, o'n i'n gofyn i fi'n hunan, beth am y rhai sy' 'di ca'l dim ond gofid yn yr hen fyd 'ma? Shwt allan nhw gredu bo' 'na drefen lan fan'na?

(Wrth Wil)

Ma' hi'n haws o lawer i chi Mishtir . . .

(Saib. Mae Mali'n mynd yn gynyddol anesmwyth yn ystod gweddill yr olygfa, ond dim ond Martha sy'n sylwi . . .)

Wil: Pam? Am bo' 'na'm cwmwl eriôd wedi cwato'r haul uwchben Pantycelyn?

Shoni: Ie falle. Ond wy'n treial gweud rhwbeth arall 'fyd. Y'ch chi 'di ca'l addysg. A ma'r gallu 'da chi i ddatrys y cwbwl. Ond y ffaith amdani yw, wy i — a 'nhebyg — yn y niwl.

Wil: So fe'm byd i neud â addysg Shoni.

Shoni: O! Dewch nawr Mishtir. Wrth gwrs bo' fe. Ma'r boi Griffith Jones Llanddowror 'na'n cer'ed gwlad, yn whysu'n stecs wrth dreial dysgu pobol i ddarllen! Y'ch chi 'di bod yn pregethu bod hynny'n beth da. Er mwyn achub eneidie meddech chi!

Wil: Wrth gwrs 'nny . . .

Shoni: Ond un peth yw darllen. Peth arall yw dyall. Ma' hi'n fantes fowr os o's rhwbeth 'da chi yn y clopa. Shwt y'ch chi'n dishgwl i bobol ddyall beth ma'n nhw'n ddarllen os nag o's rhwbeth 'da nhw lan fan hyn?

(Shoni'n rhoi ei fys ar ei dalcen. Wil yn rhoi ei law ar ei galon)

Wil: Fan hyn ma' dyall Shoni.

Shoni: Ond ma' isie rhyw ddarfeleth cyn allwch chi ddyall hyd yn o'd fan'na.

Wil: Profiad sy'n bwysig.

Shoni: Ond beth os y'ch chi'n ffaelu dyall y profiad? Beth os taw'r cwbwl ma'r profiad yn neud yw towlu dyn i ganol dryswch?

Wil:	Wy'n gwbod yn gwmws am beth ti'n sôn . . .
Shoni:	Na 'dych! Ond falle tasech chi'n gweld storom . . .
	(Yn ymatal)
Wil:	Ie?
	(Saib. Wil yn syllu'n heriol ar Shoni)
Shoni:	*(Wrth Martha)*
	Fel hyn ma' hi'n Pantycelyn chwel'. Treial 'y maglu i ma' fe. Wy'n ca'l 'yn hunan yn amal yn dachre dadle 'dag e, a ma' hi'n mynd yn orie mân y bore arnon ni . . .
Wil:	Wyt ti am roi'r bai arna i nawr am bo' ti'n ffaelu codi'n gynnar.
Shoni:	Nadw i.
Wil:	Wel wy'n dyall bo' ti'n ca'l ffwdan pan fydda' i bant 'fyd. Ar bwy ma'r bai wedyn? So ti a Mali wedi dachre dadle am Ragluniaeth o's bosib?
Shoni:	Nadyn, achos fe fydde Mishtres yn 'y maglu i'n gynt na chi.
	(Wil yn edrych yn siarp ar Shoni ond yn penderfynu ceisio torri'r tyndra . . .)
Wil:	*(Wrth Martha)*
	Ca'l 'i gadw mas yn hwyr yn trafod diwinyddieth 'da merched y ffeire ma' fe.
Shoni:	Wel y'ch chi'n pregethu ymbytu genhadu on'd y'ch chi?
	(Wil yn troi eto at Shoni a heb sylwi fod Mali'n ceisio codi. Martha'n mynd ati i'w helpu . . .)
Wil:	*(Wrth Mali)*
	Ti'n iawn?
Martha:	*(Yn siarp)*
	Ody!
	(Exeunt Mali a Martha . . . Saib)
Shoni:	Odych chi'n credu bod y gwewyr wedi dachre Mishtir?

Wil:	Falle. S'da fi ddim byd i neud nawr ond ymddiried yn llwyr yn'di.
Shoni:	Pwy?
Wil:	Rhaglunieth!
Shoni:	Rhaglunieth sy wedi hala Martha 'ma, ontefe?
Wil:	Wrth gwrs 'nny . . .
Shoni:	Gwedwch wrtha i nawr te — hi hefyd halodd Elinor Ffos Las yn dost?
	(*Exit Shoni cyn i Wil geisio'i ateb*)

ACT 2

GOLYGFA 1

Pantycelyn. Ymhen deuddydd wedi'r geni. Y ddyletswydd foreuol.
Wil, Shoni a Martha'n canu'r emyn sy'n cloi'r ddyletswydd.

> "Deffro, f'enaid deffro'n ufudd;
> Cod yn awr
> Gyda'r wawr,
> Seinia ganiad newydd.
>
> Hyfryd fore, o gaethiwed,
> Wawria draw,
> Maes o law
> Iesu ddaw i'm gwared.
>
> Uwch creaduriaid, Iesu, cadw
> F'enaid llon
> Ar dy fron
> Dirion, nes fy marw. Amen."

(Sŵn babi'n llefen yn ystod ail hanner yr emyn)

Wil: Gras ein Harglwydd Iesu Grist a chariad Duw a chymdeithas yr Ysbryd Glân a fyddo gyda ni oll . . . Amen.

Shoni: Ma'r un fach yn mynd i fod yn gantores dda Mishtir.

Wil: Ody.

Shoni: Cystel â'i mam!

Wil: Beth am 'i thad te?

Shoni: Mishtir bach, so chi'n moyn mynd â'r clod i gyd o's bosib!

Wil: *(Yn gwenu)*
         Sa i'n moyn dim ohono fe Shoni.

Shoni: O! Dewch nawr. Caton pawb, wy'n fo'lon rhoi rhywfaint i chi 'fyd. Ga'i roi fe fel hyn te? Chi bia'r gân, ond hi bia'r canu.

Wil:	(*Yn gwenu*)
	Whare teg i ti.
Martha:	Well i fi fynd i helpu 'da'r canu mas fanna!
	(*Exit Martha*)
Shoni:	Ma' llais pert 'da Martha 'fyd.
Wil:	O's.
Shoni:	'Na od fydde hi 'se dim canu'n bod. Achos . . . Wel a siarad dros 'yn hunan nawr, ma' canu'n 'yn helpu i ddangos shwt wy'n teimlo. Ma'r hen ddefed wedi goffod godde lot o 'nghanu i! A'ch emyne chi ma' nhw'n lico ore.
Wil:	So ti'n meddwl bod hi'n hen bryd iddyn nhw glywed un neu ddou nawr te? Achos ma' hi'n mynd yn rhwbryd!
	(*Y babi'n tawelu . . .*)
Shoni:	Ie iawn Mishtir . . . Cofiwch chi, fuodd 'na un cyfnod yn 'yn hanes i — fues i am fisho'dd yn ffaelu canu nodyn . . . Wy'n gweud 'thoch chi nawr, licen i ddim mynd trw'r storom 'na 'to, wirionedd i.
Wil:	Wy'n gwbod Shoni bach. A o'n i'n arbennig o falch nawr bo' ti'n galler 'i morio hi. Ti'n siŵr bo' ti'n fo'lon bo' ni wedi enwi'r un fach yn Maria Sophia?
Shoni:	Bo'lon? Pan ofynnodd Mishtres i fi, alla i'm gweud 'tho chi mor falch o'n i. Ma' hi'n gwmws fel 'se'n un fach i wedi 'i haileni!
Wil:	O'n i'm isie neud dim fydde'n rhoi lo's i ti.
Shoni:	Fel arall ma' hi Mishtir. Mishtres yn gofyn 'y nghaniatâd i, fel 'sen i'n berchen ar yr enw! Ches i'm shwt barch 'da neb eriôd. 'Sen i 'mond yn galler sgrifennu rhwbeth bach i ddangos shwt wy'n teimlo.
Wil:	Fe helpen i di 'set ti'n moyn.
Shoni:	O! Fydden i'm yn gwbod le i ddechre Mishtir bach. Ma' lot o bethe licen i weud, ond alla i'm rhoi trefen arnyn nhw.

Wil:	'Nei di'm credu hyn wy'n gwbod, ond 'na'n gwmws fel wy'n teimlo'n amal.
Shoni:	Twt! Ma'r cwbwl yn rhedeg fel dŵr ffynnon 'da chi.
Wil:	Dim hyd yn hyn Shoni. Dim hyd yn hyn.
Shoni:	Be' chi'n siarad? Chi'n gwbod beth 'nes i pwy nosweth? Mynd ati i gownto sawl pennill s'da chi yn *Golwg ar Deyrnas Crist*. Chi'n gwbod faint? Mil tri chant whech deg a saith! Deg gwaith gymint â'r defed s'da chi! Wel, heb gownto ŵyn leni wrth gwrs. A heb gownto'r nodiade 'na s'da chi ar waelod ambell ddalen. Ond ma' rhaid i fi gyfadde, sa i 'di pori lot yn rheiny. Fe dreies i cofiwch, ond o'dd e'n ormod o bwdin i fi. Es i'm mhellach na rhai'r bennod gynta. Beth yn gwmws o'ch chi'n treial 'weud ymbytu'r bachan Cop-er-nic-ys 'na?
Wil:	Copernicus.
Shoni:	Ie hwnnw.
Wil:	Wel, fe o'dd y cynta i weud bod y byd yn mynd rownd i'r haul.
Shoni:	Caton pawb!
Wil:	Wedodd dyn o'r enw Galileo 'run peth ar 'i ôl e wedyn, a fuodd 'na grigyn o ddadle. Fe gath Galileo 'i fwrw i'r jâl — 'da'r *eglwys* cofia! Eglwys Rhufen wrth gwrs.
Shoni:	O, honno!
Wil:	Pallu derbyn unrhyw ole newydd ti'n gweld.
Shoni:	Sach bo' fe mor glir â haul ar bost!
	(Wil yn chwerthin ac yna'n sylwi ar afalau cochion . . .)
Wil:	Saf ar dy dra'd.
Shoni:	Beth?
Wil:	Sa' fan hyn.
	(Wil wedi gafael mewn dau afal ac yn rhoi un i Shoni wedi iddo yntau sefyll . . .)

45

Dala di hwnna mas nawr.

(Shoni yn dal yr afal hyd braich)

Y byd s'da ti. Iawn? Nawr cyn amser Copernicus o'dd pawb yn credu taw'r haul o'dd yn mynd rownd i'r byd. Fel hyn . . .

(Wil yn peri i'w afal yntau gylchu afal Shoni)

Nawrte, ma' d' afal di yn y canol on'd yw e?

Shoni: Ody . . .

Wil: 'Na beth o'dd System Ptolomi . . .

Shoni: Pwy?

Wil: 'Sdim ots. Rhywun sha'r Aifft 'na 'slawer dydd o'dd yn credu bo' fe'n gwbod y cwbwl.

Shoni: Ma' crigyn o'r rheiny bytu'r lle o hyd.

(Wil yn torri lawr i chwerthin yn afreolus a Shoni'n dala'r haint ac yn ymuno â Wil . . .)

E? . . .

Wil: Ti'n llygad dy le!

Shoni: Wy'n gweud y gwir on'd odw i?

Wil: Wrth gwrs bo' ti.

Shoni: Yr Howel Harris 'na'n un. Beth yn y byd ma' fe'n treial neud yn Trefeca, gwedwch y gwir? Gethoch chi gam mowr 'dag e Mishtir.

Wil: Ie, ewn ni ddim ar ôl hwnna nawr Shoni.

Shoni: Ond ma' fe wedi blawdo'r cwbwl on'd yw e? Mynd i gwato mewn rhyw ogof o gastell a galw 'i hunan yn gapten ar fyddin! Pwy Gristnogeth yw honna? Heb sôn am y fenyw 'na o'dd 'dag e'n trafaelu'r wlad.

Wil: Ie wel, ma' hi wedi marw nawr, a ta beth heb 'i fai heb 'i eni Shoni bach.

Shoni: Itha gwir. Ma'r hen afal wedi bod yn demtasiwn i ni i gyd.

(Saib. Shoni'n edrych ar Wil yn synfyfyrio)

	Ma'n ddrwg 'da fi Mishtir ond wy 'di torri ar 'ych traws chi nawr.
Wil:	Do. Ble o'n ni gwed?
Shoni:	O'dd yr haul yn mynd rownd i'r byd.
Wil:	Ie 'na ti.
Shoni:	Ond dim fel'na ma' hi medde bechingalw.
Wil:	Copernicus.
Shoni:	Hwnnw . . .
Wil:	Achos tase hi fel'ny, beth fydde yn y canol?
Shoni:	Y byd.
Wil:	'Na ti . . . Gronda nawr. Fi yw'r byd. Iawn?
Shoni:	(*Yn dangos ei afal*)
	Dim hwn.
Wil:	Nage. A ti yw'r haul. Iawn?
Shoni:	Iawn.
Wil:	Cer rownd i fi. Cer.
	(*Shoni'n cerdded o amgylch Wil*)
	'Na ti. Pwy odw i?
Shoni:	William Williams Pantycelyn.
Wil:	Nage, nage. *Beth* odw i?
Shoni:	Mishtir.
Wil:	Na, anghofia am 'nny nawr. *Beth odw* i?
Shoni:	O! Ie wrth gwrs. Y byd!
Wil:	Iawn, ond beth arall odw i?
Shoni:	Sefwch chi funud nawr . . .
	(*Shoni'n astudio Wil . . .*)
Wil:	Menyw . . . ? Plentyn . . . ?
Shoni:	Dyn!
Wil:	Da was . . . Nawrte, cer rownd i fi 'to . . . Cer . . .
	(*Shoni'n cerdded o'i amgylch eto*)
	Ble ma' dyn nawr?

Shoni:	Yn y canol.
Wil:	Yn gwmws!
Shoni:	Ie?
Wil:	A 'na ble *o'dd* e, yn Eden slawer dydd. Fe o'dd y canolbwynt — "Yr oedd e'n fyd 'i hunan, a'r byd oedd iddo'n was." Ond fe a'th pethe o whith on'd do fe? Fe ga'th 'i demtio i fod yn fwy na dyn. Credu druan bach y galle fe fod yn dduw! A 'na ddachre pob drygioni. Dyn yn 'i roi'i *hunan* yn y canol, a honni bo' *fe'n* y lle gore i ddirnad y cread crwn. 'Na ti ddwli ontefe? Siwrne 'na'th e 'nny, o'dd e'm yn haeddu bod 'na. O'dd hi'n ddansherus iddo fe fod 'na . . . A y'n ni mewn mwy o ddansher heddi nag eriôd. Ti'n gwbod pam? Am 'yn bod ni'n galler cyrra'dd ffrwyth pren gwybodeth yn haws na'n cyndeidie ni. Ma' addysg wedi rhoi'r gallu i ni neud darganfyddiade. Cymer di Syr Isaac Newton nawr . . .
Shoni:	*(Ar ei draws)*
	O! Ie, y boi welodd yr afal yn cwmpo . . .
Wil:	'Na ti. Fe gredodd e y galle fe weld y cwbwl trw' 'i delisgôp. Bachan dysgedig cofia. Dod â'r pell yn agos . . . Ond yn y diwedd o'dd e'm yn gweld ymhellach na'i drwyn druan. Achos o'dd e'm wedi gweld *dyn* yn cwmpo . . . Systeme Copernicus, Galileo a Newton — ffrwyth darganfod yw'r rheiny. Dim ond i ti orwe'n ddigon hir o dan goeden, ti'n saff o weld afal yn cwmpo. Ond dim trw' ddarganfod ma' gweld *dyn* yn cwmpo, ond trw' ddatguddiad. Datguddiad Iesu Grist . . .
	"Can's trugarhaodd wrthyf, a hynny yn fore iawn, Yn dechrau cyn bod amser, yn para hyd brynhawn, Yn caru â'r cariad mwyaf a glywyd yn un man,— Pan welodd fi yn cwmpo, resolfo'm codi i'r lan."
Shoni:	Iawn. Ond o'dd Iesu Grist o fla'n y bois dysgedig 'na i gyd on'd o'dd e?

Wil:	Ond wy newydd weud. O'dd Yr Arglwydd Iesu cyn bod amser . . .
Shoni:	Nage, beth s'da fi yw bo' fe'n byw ar y ddaear o'u bla'n nhw.
Wil:	O'dd o'dd.
Shoni:	A o'dd e'n gwbod pob peth.
Wil:	Wrth gwrs 'nny.
Shoni:	Pam na fydde fe wedi gweud te?
Wil:	Beth nawr?
Shoni:	Taw'r byd sy'n mynd rownd i'r haul.
Wil:	*(Yn gwenu)*

Achos bo' rhwbeth pwysicach o lawer 'dag e i' weud. 'I waith mowr e o'dd datguddio cyflwr dy galon di a fi Shoni, a taw fe'n unig alle'n hachub ni o'n pechod wrth wisghgo gwâd! Ti'n gweld, y peth mowr sy'n rhaid i ni'n ga'l yw maddeuant. 'Na'r ffaith sy'n 'yn neud ni'n dou'n debyg Shoni. Falle bo' fi 'di ca'l mwy o addysg na ti, a mwy o gyfo'th na ti. A fel wyt ti 'di awgrymu droeon, wy 'di'i cha'l hi'n rhwyddach na ti. Dim cwmwl i gwato'r haul. Ond yn y diwedd, ma'n rhaid i ni'n dou ga'l maddeuant.

(Enter Martha)

Plant Eden yw'r ddou ohonon ni, a tithe Martha.

"Yn Eden, cofiaf hynny byth,
Bendithion gollais rif y gwlith;
Syrthiodd fy nghoron wiw.
Ond buddugoliaeth Calfari
Enillodd hon yn ôl i mi;
Mi ganaf tra fwyf byw."

Martha:	Ma' Mary isie gair â chi.
	(Wil yn anelu i fynd mas ond yn troi at Shoni)
Wil:	Wy'n credu bod hi'n hen bryd i ti fynd at y defed.
Shoni:	Iawn Mishtir. Wy'n mynd nawr . . .
	(Wil yn troi i fynd)

Ma' hi'n mynd yn rhwbryd!

(Wil yn edrych yn siarp arno am eiliad cyn mynd mas)

Y'n ni newy' ga'l seiat. Jawl! Ma' fe'n fachan a hanner on'd yw e?

Martha: Ody.

Shoni: Yffarn dân!

Martha: O's isie rhegi o hyd?

Shoni: Sa i byth yn neud o'u bla'n nhw.

Martha: Gormod o barch atyn nhw ife?

Shoni: Ie . . .

Martha: Ond y'ch chi'n neud o 'mla'n i.

Shoni: Wy'n teimlo'n fwy rhydd 'da chi 'na gyd.

Martha: Rhydd?

Shoni: Ie. I weud beth yn gwmws sy ar 'y meddwl i . . . Dim bo fi wedi gweud y cwbwl cofiwch . . .

           (Shoni'n ei llygadu o'i phen i'w thraed a hithau'n ymwybodol o hynny . . .)

Martha: Fe fydde hi'n well i chi fynd at y defed.

Shoni: Bydde . . . Ma' hi'n saffach 'da nhw.

           (Shoni'n mynd at y drws . . . yna'n troi)

           Allwch chi'm dod 'da fi heddi te?

Martha: Na.

Shoni: So nhw wedi'ch gweld chi ers douddydd. O'dd un ddafad eger yn holi amdanoch chi. Gofyn i fi ble o'dd y fenyw bert 'na o'dd 'da fi echdo.

Martha: Gadwch hi nawr.

Shoni: Wirionedd i! 'Sdim lot o fenwod pert yn dod ffor' hyn yn amal medde hi.

Martha: Beth arall ma' hi'n weud 'thoch chi?

Shoni: So hi 'di siarad am ddim byd arall.

Martha: O's ôn bach 'da hi?

Shoni: Dou.

Martha:	Wel gwedwch wrthi taw 'i dyletswydd hi yw rhoi 'i sylw i gyd i'r rheiny . . .
	(Shoni'n chwerthin yn uchel)
	Achos fyddan nhw'm 'da hi'n hir.
	(Shoni'n ymddifrifoli'n sydyn)
Shoni:	Chi'n iawn. Welan nhw'm o'u pen-blwydd cynta druen bach . . . Yffarn dân, ma' nhw'n lwcus nag y'n nhw'n gwbod beth sy o'u bla'n nhw . . . Tr'eni na allen ni fod fel'na, ontefe? Pam ddiawl na fydde'r Bod Mowr wedi trefnu rhoi penne defed i ni, wirionedd i? Fydde dim rhaid becso am fory wedyn. Byw o ddydd i ddydd heb wbod beth sy o'n bla'n ni.
Martha:	Sa i'n credu y bydden ni'n hapusach.
Shoni:	Na fydden falle, achos fe fydden ni'n dala i gofio beth sy 'di *bod*. A ma' hi'n bwysig i ddyn gofio beth sy 'di bod, ne' fydde fe'm yn gwbod pwy ddiawl yw e . . .
Martha:	A fan'na ma' dachre Shoni. Gwbod pwy y'ch chi. Nabod 'ych hunan . . . Nabod y nwyde — a rhoi trefen arnyn nhw.
Shoni:	Shwt ma' rhoi trefen ar nwyde Martha? 'U tagu a'u mogi nhw? . . .
	(Saib)
	Grondwch, Martha, wy 'di joio'r dwyrnode dwetha 'ma, mas draw . . .
Martha:	A finne. Sa i 'di bod yn hapusach ers amser. Ma'r ddou fach wedi newid 'fyd. Gwên ar 'u hwynebe nhw, diolch i'r drefen. A ma' Wil a Mali wedi bod shwt gefen i fi . . .
Shoni:	A chithe iddyn nhw.
Martha:	Fe fydd Mali'n iawn mhen rhyw wthnos.
Shoni:	Fyddwch chi'n mynd gatre wedyn.
Martha:	Beth arall s'da fi i neud?
	(Shoni'n ei llygadu . . . ac yn mynd ati)

	Reit, bant â chi.
Shoni:	Ond Martha . . .
Martha:	Na Shoni! Allwn ni ddim!
Shoni:	Ond ar ôl beth ddigwyddodd echdo . . .
Martha:	Ddigwyddodd dim byd!
Shoni:	Fe *wedwd* lot. A'th hi'n seiat hir.
Martha:	Ond weiddon ni ddim Haleliwia!
Shoni:	Naddo . . .Ond Martha, dim eunuch odw i . . .
Martha:	A dim gwyryf odw inne.
Shoni:	Ond nôl beth wedoch chi echdo so chi 'di nabod dyn ers blynydde.
Martha:	Naddo, sach bo' fi'n byw 'da un ers deng mlynedd.
Shoni:	Wy inne 'di byw fel eunuch ers colli Leisa.
Martha:	O? Beth am y teisi gwair te?
Shoni:	Twt! Cyn priodi Leisa o'dd 'nny.
Martha:	Wy'n gweld . . .
Shoni:	A dim ond 'da Leisa fues i'n twmblo yn'dyn nhw ta beth. Sa i eriôd 'di nabod menyw arall.
Martha:	Pam y'ch chi'n gweud y pethe hyn 'tha i?
Shoni:	Achos bo' raid i fi weud wrth rywun.
Martha:	Ond pam na wedwch chi wrth 'ych mishtir chi? Y dyn mwya welodd Cymru eriôd meddech chi. Prif stiward y seiat. Pam na agorwch chi'ch hunan iddo fe?
Shoni:	Achos taw Mishtir yw e!
	(*Saib*)
Martha:	Fyddwch chi'n gweddïo Shoni?
Shoni:	Wy'n gweud 'y mhader. Sa i byth yn rhoi 'mhen lawr cyn gweud hwnnw.
Martha:	Pwy y'ch chi'n enwi yn'do fe? Na, 'sdim rhaid i chi weud. Ddylen i'm fod wedi gofyn.
Shoni:	Na, wy isie gweud. Yr un pader yn gwmws s'da fi ers slawer dydd. Wy'n enwi Mam . . . a Leisa . . . a

	Maria Sophia fach . . . Mishtir a Mishtres a'r plant i gyd . . . Blacen a Bess . . . A Mot yr hen gi wrth gwrs . . . Nhw yw'n nheulu i nawr . . . 'Sneb arall 'da fi yn y byd i gyd . . .
Martha:	Heblaw am yr un sy'n grondo . . .
Shoni:	Ie . . .
Martha:	A chi 'di dachre enwi un fach arall nawr.
Shoni:	Odw! Dwy Faria Sophia myn yffach i!
Martha:	Chi'n foi cyfoethog iawn Shoni.
Shoni:	Odw i?

(Saib)

Licen i'ch enwi chi 'fyd . . .

(Saib)

Grondwch, *pam* na ddewch chi am wâc fach heno?

Martha:	I ble? I'r das wair agosa? Beth arall alle fod rhynton ni Shoni?
Shoni:	Cwtsho! Maldodi'n gilydd!
Martha:	A dim mwy.
Shoni:	*Dim* mwy!
Martha:	Yr ysfa am gnawd! Ysfa'r bwystfil!
Shoni:	Sa i'n fwystfil Martha!

(Saib. Martha'n cyffwrdd ynddo'n dyner . . .)

Martha:	Na 'dych . . .

(Yn sydyn mae Shoni'n gafael ynddi'n dynn)

Shoni bach, 'na'r cwbwl y'n ni'n dou'n ysu amdano fe'r foment 'ma yw cnawd! Gweiddi Haleliwia yn y manne iawn. Ond pwy hawl s'da ni 'mond er mwyn y pleser?

(Martha'n mynnu ymryddhau)

Shoni:	'Mond i ni beido neud niwed i neb arall.
Martha:	Na niwed i'n gilydd.
Shoni:	Nelen i byth niwed i chi Martha.
Martha:	Ond beth am fory?

Shoni:	Fory? Sa i'n gwbod dim am fory. Rhaglunieth bia hwnnw. Ond jawl, fydd cymint o feddwl ohonoch chi 'da fi fory a s'da fi heddi.
Martha:	Ond beth 'tase hi fel arall?
Shoni:	Beth yffarn y'ch chi'n dreial weud fenyw?
Martha:	Sa i isie i chi feddwl fory taw Jesebel odw i. Menyw 'na'th 'ych cocso chi i ganol cors.
Shoni:	*(Yn galed)*

Iawn. 'Na fe te. Wy'n mynd at y defed.

(Shoni yn troi i fynd)

Martha:	Chi'n dala i garu Leisa on'd y'ch chi? Fydde pader ddim yn bader hebddi. A 'na pam na ddylech chi'm mynd â fi i'r das wair.
Shoni:	O wel, 'na'i diwedd hi te! Os y'ch chi'n gweud!
Martha:	Wy'n gweud y gwir on'd odw i?
Shoni:	Ma' 'da chithe reswm dros beido dod 'da fi, on'd o's e? Achos bo' chi 'di ca'l 'ych camdrin 'da'r diawl gŵr 'na s'da chi, y'ch chi'n credu bo' pob dyn 'run peth ag e! Bo' pob dyn yn fwystfil! Allwch chi'm agor 'ych hunan i unrhyw ddyn byth 'to allwch chi? Man a man i chi fynd i Drefeca i fod yn forw'n fach! Golchi a stilo cryse Howel Harris a torri gwine'i dra'd e myn yffarn i! Chi'n gwbod beth wedodd Mishtir amdanoch chi? Taw Rhaglunieth halodd chi 'ma. Ond rhywun gwahanol iawn i Jesebel o'dd 'dag e'n 'i feddwl!

(Enter Wil)

Wil:	*(Wrth Shoni)*

Wyt ti 'ma o hyd? So ti'n meddwl bod hi'n hen bryd i ti fwstro? Ma' hi'n mynd yn rhwbryd rwbryd!

(Exit Shoni'n ffrom. Wil yn galw ar ei ôl)

Cofia di wishgo digon! Ma' gwynt tra'd y meirw'n hwthu heddi . . .

(Wil yn eistedd ac yn amneidio ar Martha i eistedd gydag e)

Dere i ishte fan hyn Martha. Wy isie gair â ti. Ma'
cyfle 'da ni nawr, â'r ddwy'n cysgu.

(*Martha'n dal i sefyll*)

Am beth fuodd e Shoni'n glebran â ti gwed? 'Sdim
taw arno fe siwrne ddechreuith e. Ond ma'i galon
e'n y lle iawn, sach bo' jogi'n 'i ladd e.

(*Saib. Wil yn dal i ddisgwyl iddi eistedd yn ei ymyl*)

Wel?

(*Martha'n eistedd yn y gadair siglo*)

Martha:	Fe roiodd e gyngor i fi.
Wil:	Shoni?
Martha:	Do. Y dylen i fynd i Drefeca.
Wil:	Beth!
Martha:	I fod yn un o'r "Teulu" ontefe.
Wil:	Wyt ti'n un o deulu'n barod Martha. Bod yn wraig a mam yw dy ddyletswydd di ragor . . . Ond o'dd hi'n beth od iawn i Shoni weud 'nna 'thot ti. Beth dda'th dros 'i ben e? Pam ma' fe wedi newid 'i feddwl ymbytu Howel Harris mor sydyn?
Martha:	Newid 'i feddwl amdana' *i* 'na'th e.
Wil:	Sa i'n dyall . . . 'Na fe, y cwbwl *wy'n* moyn neud nawr yw treial dy helpu di.
Martha:	Shwt allwch chi'n helpu i William? So chi ar yr un blaned â fi.
Wil:	Beth wyt ti'n feddwl?
Martha:	Ma' 'na fyd o wahanieth rhynton ni'n dou.
Wil:	Shwt?
Martha:	Y ddwy briodas i ddachre. Nôl beth wedodd Mary 'tha i, 'da chi ma'r briodas hapusa fuodd eriôd.
Wil:	Cymharol yw popeth is y rhod.
Martha:	O gymharu â'r uffern wy'n 'i chanol hi, y'ch chi'ch dou yn y nefo'dd.
Wil:	Wel, alla i sy yn y nefo'dd dreial rhoi help i rywun sy yn uffern?

Martha:	Na'llwch.
	(Saib)
Wil:	Beth sy'n dy gorddi di Martha? Achos bo' fi heb roi sylw i ti cyn hyn? Ife? Wel nawr yw'r cyfle cynta y'n ni wedi'i ga'l . . . A wy'n moyn gweud hyn i ddachre. Ma' 'na rai pethe y dylet ti'u cadw nhw i ti dy hunan. Dim ond rhyntot ti a Duw ma'r rheiny i fod. Wedyn, ma' 'na rai pethe y bydde fe'n llesol i ti'u gweud nhw'n gyhoeddus er mwyn i ti ga'l help gweddi cymdeithas gyfan o'r dychweledigion.
	(Martha'n ochneidio'n ddiamynedd)
	Wrth gwrs, beth sy'n bod arna'i'n gweud y pethe hyn 'thot ti, â tithe'n un o ferched y seiat? A os ca'i weud, sach bo' ti 'di mynd i drybini mowr nawr, wyt ti wedi cadw dy urddas yn syndod. Fe gath Satan afel ar dy ŵr di. Ond diolch i'r drefen chath e'm gafel yn'dot ti — hyd yn hyn. Y dansher mowr o'dd i ti fynd yn debyg iddo fe. Mabwysiadu'i feddylfryd e a mynd yn fasweddus dy gleber, fel Gazèt tros Satan . . . Ond ma' 'na rai pethe y gallet ti weud 'tha i . . . Rhwng y peder wal 'ma, ontefe? A 'weda' i ddim wrth neb.
Martha:	Dim hyd yn o'd wrth Mary?
Wil:	Na . . . Heblaw bo' ti'n dymuno 'nny wrth gwrs.
Martha:	So chi'ch dou'n rhannu'r cwbwl te?
Wil:	So hi'n disgwl i fi neud.
Martha:	A ma' hawl 'da hithe beido rhannu popeth 'da chi.
Wil:	O, sôn am fod yn gynghorydd odw i nawr. Bod yn glust i gyffes rhywun.
	(Saib)
	Gronda, o's hawl 'da fi i ofyn beth yn gwmws fuoch chi'ch dwy'n drafod?
Martha:	Nago's . . . Ond fe weda'i wrthoch chi . . . Pennod yr Apostol Paul ar gariad.
Wil:	O, 'i lythyr cynta fe at y Corinthied. Salm o fawl i

gariad Duw . . . Fe ddefnyddiodd Paul air Groeg. Agape. Cariad sy'n rhoi yn hytrach na derbyn. Cariad "er gwaetha" . . . Ma' Duw yn 'yn caru ni er gwaetha popeth — 'yn camwedde ni, 'yn ffaeledde ni, 'yn pechode ni . . .

Martha: Ond dim "er gwaetha" unrhyw beth y'n ni'n caru Duw! Ma' fe'n berffeth!

Wil: Ody fe'n berffeth yn dy olwg di bob amser? Allet ti weld bai yn Nuw o gwbwl, Martha? Tase un o'r ddou fach bert 'na s'da ti mas fanna'n cwmpo'n gelen heno, allet ti garu Duw fel Duw perffeth? Tase hi'n rhan o'i Raglunieth e, bo' ti'n colli un ohonyn nhw, shwt fyddet ti'n 'i garu fe wedyn?

Martha: Alla i byth â dychmygu shwt beth . . . Wy'n gobeitho yn 'y nghalon y gallen i 'i garu fe . . . Derbyn 'i Raglunieth ryfedd e . . . Ond heb 'i dyall hi . . .

Wil: Martha fach, o'dd priodi Ben Teilwr yn rhan o'r Rhaglunieth ryfedd 'ma. Ti'n caru Duw er gwaetha Ben Teilwr!

Martha: A! Wy'n gwbod beth y'ch chi'n moyn i fi neud. Mynd gatre at y bwystfil a nghalon i'n diferu o agape.

Wil: Nage Martha.

Martha: *(Syndod)*

O!

Wil: Wy'n moyn i ti fynd nôl . . .

Martha: *(Ar ei draws)*

Hy! O'n i'n meddwl!

Wil: Gan bwyll nawr i fi ga'l bennu. Sa i'n moyn i ti fynd nôl ar dy ben dy hunan.

Martha: Na'dych wrth gwrs. Fe fydd rhaid i fi lusgo'r plant nôl 'da fi 'fyd! Odych chi'n sylweddoli y galle hynny fod yn ddiwedd arnyn nhw?

Wil: Ond dim mynd â'r plant nôl ar dy ben dy hunan

fyddet ti! Allet ti'm ymdopi yn dy nerth dy hunan. All neb ohonon ni, 'sdim ots beth yw'n sefyllfa ni. A 'na beth yw craidd neges yr Arglwydd Iesu. "Deuwch ataf fi bawb a'r y sydd yn flinderog ac yn llwythog, ac mi a esmwythâf arnoch. Cymerwch fy iau arnoch, a dysgwch gennyf . . . " Dim ti ar dy ben dy hunan, Martha fach, ond yr Arglwydd Iesu 'da ti'n cyd-gario'r baich. A chofia taw 'i iau fe'i *hunan* y galwodd e hi. "Cymerwch *fy* iau . . . " Yr un o'dd e wedi'i chario cyn 'yn bod ni, a'r un o'dd e'n ysu i'w chario droston ni bob cam i fryn Calfaria . . .

"O Arglwydd dwed i mi pa lun
Y galla'i gario meichiau f'hun?
Mawrion y'nt hwy, ond fi sy' wan,
P'odd coda'i'r lleia' o'r rhain i'r lan?

D'ysgwyddau di ddal feichiau mawr,
Arnynt mae'n hongian nef a llawr;
Am hyn fy holl ofidiau i
Gaiff bwyso'n gyfan arnat ti."

(Yn ystod yr emyn mae Martha wedi torri lawr yn llwyr a rhoi ei phen yn ei dwylo. Wil yn ei chofleidio)

Ti'n dyall Martha fach? O, wy'n falch os odw i wedi galler dy helpu di!

(Martha'n codi'i phen ac yn syllu arno)

Martha: So chi wedi dachre'n helpu i 'to.

(Martha'n symud oddi wrtho)

Wy'n credu y bydde hi'n well i ni ddod â'r seiat i ben . . . Rhag ofon . . .

Wil: Rhag ofon beth? Wy'n moyn dy helpu di, Martha. A o'n i'n credu bo' ni wedi dachre dod i ddyall 'yn gilydd . . . Wy'n fo'lon dachre o'r dachre 'to te, os wyt ti'n moyn. Wy'n fo'lon grondo. Alla i'm cynnig mwy na 'nna . . . Dere, beth sy'n dy gorddi di? Gwed 'tha i.

Martha: Na . . . Fe fydde'n well 'da fi beido. Os ffaeles i weud wrth Mary, ddylech chi'm synnu bo' fi'n ffaelu gweud 'thoch chithe.

Wil: Ond pam ffaelest ti weud wrthi *hi*?

Martha: Achos bo' ni 'di colli nabod. A o'n i'n cwato pethe o'wrth 'yn gilydd. Ffaelu siarad yn onest â'n gilydd. O'dd hen wal Llanddowror yn uchel rhynton ni. A wal Pantycelyn yn uwch wedyn.

Wil: Dim *rhyntoch* chi ddyle'r welydd 'na fod, ond *amdanoch* chi. I chi ga'l bod yn saff. Y'ch chi'ch dwy wedi ca'l 'ych breintio trwy ras Duw i fod yn gadwedig. Y'ch chi wedi'ch achub!

Martha: Odyn ni?

Wil: So ti'n ame 'nny o's bosib! Wy'n gwbod bo' ffydd Mali fel y graig.

Martha: Chi ddyle wbod am Mary . . . Y'ch chi'n nabod hi'n well na fi — yn well na neb — erbyn hyn.

Wil: Ond dwy o ferched y seiat! Shwt na allech chi siarad â'ch gilydd?

Martha: Fe wedwd lot . . .

Wil: Beth o'dd y pwnc?

Martha: Priodas. 'Yn un i . . . A'ch un chi.

Wil: O! Cymharu ife?

Martha: Ie. Chi newydd weud — "Cymharol yw popeth is y rhod".

Wil: Ond fuodd y trafod ddim o unrhyw les i ti.

Martha: Naddo.

Wil: Pam?

Martha: Achos 'na'th hi'm agor 'i hunan. O'n i fel 'sen i'n siarad â rhywun hollol ddierth. O'dd hi'm yr un un ag o'dd hi ddeng mlyne' nôl . . .

Wil: Pwy sy?

Martha: Wy'n gweud 'thoch chi, o'dd y welydd yn rhy uchel . . .

(*Saib*)

O man a man i ni ganu un o'ch emyne 'madel chi, a
chloi'r seiat.

Wil: *Ti* sy'n codi wal *nawr* ontefe? Dere . . . Beth yw'r
pwynt peido bod yn onest â'n gilydd?

Martha: William, y'ch chi'n gofyn i fi fwrw'r wal lawr . . .

Wil: Odw . . .

Martha: Ond fe all rhywun ga'l dolur . . .

Wil: Beth ti'n moyn drafod?

Martha: Tân.

Wil: Beth?

Martha: Tas wair ar dân.

Wil: Am beth ti'n glebran gwed?

Martha: Nwyd, William! Beth wy fod neud â nwyd?

              (Saib)

              Wel? Gwedwch wrtha'i! O's 'na le yn nhrefen yr
achub i nwyd?

              (Wil yn syfrdan)

Martha: Wy'n fenyw fuodd heb ddyn ers blynydde. Heb
nabod neb gnawd yng nghnawd. Heb gywely . . .
O, fe ges i sawl cynnig cofiwch — pwy na chele 'da
bois Tregaron! Ond fe wedes i "Na" wrth y nwyd.
"Dos yn fy ôl i Satan" wedes i, a fe dowles i ddŵr ôr
ar y fflame. Ond pwy ddwyrnod, fe ailgynheuodd y
tân. A'r tro 'ma sa i isie'i ddiffodd e. Wy isie towlu'n
hunan i'r fflame. Wy ar dân isie dyn!

Wil: Martha fach!

Martha: Fe ges i gynnig, a ma'r cynnig yn dala. Wy'n gwbod
yn iawn shwt wy moyn ateb. Ond licen i'ch
cyfarwyddyd chi. Beth wy fod neud William?
Dewch! Gwedwch wrtha'i! Beth odw i fod neud â'r
cynnig 'ma?

              (Martha'n cyffwrdd â Wil nes peri iddo anesmwytho)

              Chi'n gwbod beth s'da fi on'd y'ch chi? Ffwrch!

              (Wil yn gwingo)

	Fe rybuddies i chi on'd do fe. Beth alle ddigwydd 'se'r wal yn dod lawr. Wel, ma'r cwbwl yn deilchion nawr! Wy 'di ca'l y cynnig 'ma — 'da rhywun sy 'di byw fel eunuch ers blynydde. Fe gododd *e* wal 'fyd. Ond nawr, ma'r ddou ohonon ni'n moyn whalu welydd 'yn gilydd. Ga' i gyngor os gwelwch yn dda? Beth wy fod neud â nwyd?
Wil:	Ody'r dyn 'ma'n . . . briod . . .
Martha:	Ody . . . A ma' fe'n dala i garu'i wraig. Ma' fe'n 'i henwi hi yn 'i bader bob nos.
Wil:	Wyt ti 'di dachre colli dy synhwyre'n llwyr?
Martha:	Na, isie ail afel yn'dyn nhw odw i.
Wil:	Gronda nawr Martha!
Martha:	Nage. *Chi* sy' fod grondo arna' *i*! 'Na beth gynigoch chi ontefe? Bod yn glust i fi.
Wil:	Ond, ma'n rhaid i ti rondo arna' i! Wyt ti'n mynd ar dy ben dros y dibyn! Ti'n clywed!?
Martha:	Moyn dod *nôl* o'r dibyn odw i. Ond ma' hynny'n gro's i gyngor 'ych cynghorwyr chi yn Nhregaron. Ma'n nhw i gyd wedi pwyso arna i i aros 'da'r teilwr a godde'i gamdrin e. Dim ond achos bo' fi'n briod ag e, a hynny mewn enw'n unig! Godde'r tagu a'r mogi!
Wil:	Martha! Paid!
Martha:	A fe ddes i 'ma bob cam i ga'l cyngor.
Wil:	Ond so ti'n fo'lon derbyn 'y nghyngor i!
Martha:	Grondwch William, dim cerdded deugen milltir i ga'l gair â *chi* 'nes i. Dod i whilo am Mary. Dod i whilo am y ffrind gore fuodd 'da fi eriôd . . . Ond ches i'm gafel arni. Ma' Mary Pen-lan wedi diflannu tu cefen i wal . . . Mali Pantycelyn yw hi nawr. Mali synhwyrol, dduwiol, ddoeth. A'r cwbwl alle hi 'i gynnig i fi o'dd yr Apostol Paul!
Wil:	Beth o'dd o le ar 'nny?
Martha:	Dim. Os yw hynny'n ddigon iddi hi!

Wil:	Paid ti â meiddio dod ffor' hyn i dowlu ensyniade am 'yn priodas ni! Sa i'n gwbod beth ti'n dreial awgrymu! Ond *ma'* 'na briodase hapus yn 'rhen fyd 'ma ti'n gwbod! A 'da Mali a fi ma'r briodas hapusa yn y byd i gyd. Ti'n dyall?
	(Enter Mali)
Mali:	Martha! Wil! Dewch ar unwaith! Ma' rhwbeth yn bod ar yr un fach!
	(Diffodd y golau'n sydyn)

GOLYGFA 2

Mynwent. Angladd Maria Sophia. Diwedd y gwasanaeth, sef canu'r emyn ola. Pawb ond Wil yn canu'r llinellau cyntaf. Mali'n peidio â chanu ac yna Shoni, gan adael i Martha ganu'r gweddill ar ei phen ei hunan . . .

(Tôn — "Cwynfan Prydain")

> *"Pam y caiff bwystfilod rheibus*
> *Dorri'r egin mân i lawr?*
> *Pam caiff blodau peraidd ifainc*
> *Fethu gan y sychdwr mawr?*
> *Dere â'r cawodydd hyfryd*
> *Sy'n cynyddu'r egin grawn,*
> *Cawod hyfryd yn y bore,*
> *Ac un arall y prynhawn."*

Wil a Mali'n syllu i'r bedd am ysbaid. Mali'n cydio yn ei fraich yn dyner i'w arwain bant . . . Yntau'n tynnu nôl yn ffyrnig . . . ac yna'n mynd mas ar ei ben ei hunan. Mali'n ei ddilyn ymhen eiliad.

Shoni:	Odych chi'n dyall hyn te?
Martha:	'Sneb fod dyall.
Shoni:	Dim hyd yn ôd *nhw*?
	(Shoni'n syllu i'r bedd)
	'Na ddiwedd ar 'i ganu fe falle.
Martha:	Duw â ŵyr Shoni . . . Dewch.

(Shoni'n dal i syllu i'r bedd)

Shoni: Maria Sophia fach . . . O'dd claddu siwrne'n galed ond ma' claddu eilweth yn uffernol!

Martha: Dewch nawr Shoni. Cheith hi'm niwed fan'na.

Shoni: Na cheith. Chi'n iawn. A bydd Leisa'n fo'lon 'i chwmryd hi am sbel fach nes bo' Mishtir a Mishtres yn mynd lan ati . . . Jawl! Falle taw Leisa yw'r unig un lan fan'na fydd yn carco dwy o'r un enw! Chi'n gwbod Martha, pan fydda i ar 'y mhen 'yn hunan 'da'r defed, fe alla i dyngu bo' fi'n clywed Leisa'n siarad â fi'n amal. A ma' hi'n swno'n hapus, wirionedd i. Yffarn! Ma' hwnna'n fwy o gysur i fi na dim byd!

Martha: Dewch . . .

Shoni: Pwy feddylie y bydde'r storom 'ma'n dod i Bantycelyn, o bobman! Ma' hi wedi'i chawlo hi tro hyn on'd yw hi . . .

Martha: Pwy?

Shoni: Rhaglunieth yffarn!

(Saib)

Martha: Dewch gatre Shoni bach . . .

Shoni: Na, dim 'to. Wy isie mynd i weld bedd bach arall gynta . . . Ddewch chi 'da fi?

Martha: Na, Shoni. Dim heddi. Ewch chi. Fe safa' i amdanoch chi yn y bwlch . . .

(Exit Shoni gan adael Martha'n syllu ar ei ôl . . .)

GOLYGFA 3

Pantycelyn. Ymhen rhai oriau . . .
Mae Wil yn eistedd yn y gadair siglo a chot fawr yr angladd yn dal amdano . . . Saib. Martha'n ei lygadu . . .

Martha: 'Newch chi'm cwmryd rhwbeth i fyta?

(Nid yw Wil yn ateb)

Dewch. Licech chi i fi ail dwymo 'bach o gawl?

(Wil yn syllu i'r gwagle . . .)

Alla' i ga'l rhwbeth arall i chi te? A fe allwch chi'i fyta fe miwn fan hyn.

(Dim ymateb . . .)

Grondwch William, ma'n rhaid i chi fyta. So chi 'di byta dim byd o werth ers dyddie . . .

(Dim ymateb)

A ma'n rhaid i chi siarad. So chi 'di gweud dim 'ddar marw'r un fach . . . Licen i 'sen i'n galler 'ych helpu chi. Ond alla' i'm neud 'nny heb bo' chi'n treial helpu'ch hunan . . .

(Dim ymateb o hyd)

Ma' Mary isie siarad â chi . . . Ma' hi *yn* siarad â fi, ond ma'r hen wal yn uwch nag eriôd . . . Siarad, siarad fel pwll y môr am bopeth ond 'i galar hi'i hunan . . . A os y'ch chithe'n mynnu codi wal hefyd, wel 'na ni, man a man 'sech chi'ch dou'n 'ych clou'ch hunen yn jâl mewn cell'odd ar wahan!

(Dim ymateb)

Nawr ma' cwmryd mantes o'r cariad sy rhyntoch chi. *Nawr* ma' isie'r nerth ma' hwnnw'n galler 'roi i chi . . . Chi'n cofio trafod yr Apostol Paul 'da fi? O'dd rhwbeth 'dag e siŵr o fod . . . "Y mae yn dioddef pob dim, yn credu pob dim, yn gobeithio pob dim, yn ymaros â phob dim. Cariad byth ni chwymp ymaith . . . " Ond 'na fe, pwy odw i i weud y pethe hyn 'thoch chi?

(Enter Shoni, wedi newid i'w ddillad gwaith. Shoni'n edrych ar Wil a hwnnw heb gymryd sylw ohono. Martha a Shoni'n dal llygaid 'i gilydd. Martha'n amneidio arno i gyfarch Wil . . .)

Shoni: Jyst galw heibo ar 'yn ffordd i weld y defed . . .

(Dim ymateb gan Wil . . . Shoni a Martha'n dal llygaid 'i gilydd eto . . .)

A' i â dou ne' dri o'r plant hena 'da fi. Fe neith les 'ddyn nhw.

(Shoni'n llygadu Martha, heb fod yn siŵr a ddylai geisio cael unrhyw ymateb gan Wil . . .)

Martha: Syniad da Shoni. Ond peidwch chi â chwmryd unrhyw ddwli 'da nhw cofiwch.

Shoni: O! Yr hen wialen fedw gân nhw 'da fi!

Martha: Ma' 'mhlant *i*'n ca'l blas honno'n amal!

Shoni: Wel, weden i bod hi'm 'di neud niwed 'ddyn nhw. Sa i 'di ca'l munud o ofid 'da nhw. Weles i'm shwt faners mewn plant eriôd . . . 'Na fe, wedi ca'l mam dda ma' nhw!

(Martha yn gwenu ac yn troi at Wil)

Martha: Ble geloch chi afel ar hwn gwedwch? Ma' fe'n ddigon i godi calon unrhyw un!

(Nid yw Wil yn ymateb. Shoni'n anesmwytho. Martha'n amneidio arno i geisio cyfarch Wil)

Shoni: Licech chi Mishtir ddod 'da ni? Ma' hi'n nosweth fach braf. Dim cwmwl . . .

Martha: Ond so fe'n mynd heb ga'l pryd o fwyd.

Shoni: O fe arosa' i. 'Sdim hast. Ma'r hen ddydd yn mystyn. Weda'i beth 'na' i. Fe a' i roi bach o wair o fla'n y ceffyle. Ma' isie'u cadw nhw'n hapus on'd o's e? Gyda llaw, bydd isie pedol ar Bess. Sylwes i bore 'ma bod hi 'bach yn gloff.

Martha: O, fe geith hi lonydd am sbel fach nawr, cyn dechre ar y galifanto 'to.

Shoni: Ceith. Ond o nabod Mishtir, fydd hi'm yn hir cyn bod cyfrwy ar 'i chefen hi! Beth y'ch chi'n weud Mishtir?

(Dim ymateb gan Wil)

Grondwch Mishtir . . . Pwy odw i i weud hyn 'thoch chi sa i'n gwbod, ond 'i weud e 'na i! Chi'n cofio ni'n ca'l seiat am y boi 'na? Beth o'dd 'i enw fe

nawr . . . Co . . . per . . . nicus . . . 'Na fe ontefe
. . . Wy 'di ca'l 'i enw fe'n iawn o'r diwedd!

(Dim ymateb gan Wil)

Chi'n gwbod, y boi o'dd yn gweud bo' ni'm fod yn y
canol. Chi'n cofio ni'n whare 'da'r fale? A chithe'n
gweud 'tha i bo' dyn ddim fod 'i roi'i *hunan* yn y
canol . . . Chi'n cofio? Wel, so chi'n meddwl taw
'na'n   gwmws   beth   y'ch   *chi'n*   neud
nawr? . . . Rhoi'ch hunan yn y canol a dishgwl i
bawb fynd rownd i chi fel hyn? Treial 'ych cocso chi
i fyta! 'Ych cocso chi i siarad! 'Ych cocso chi mas o'r
falen 'ma!

Martha: Shoni . . .

Shoni: *(Wrth Martha)*

Ond yffarn dân!

(Wrth Wil)

Chi'n mynd i weud wrtha'i am beido rhegi? Dewch!
Rhowch bryd o dafod i fi!

Martha: Shoni!

Shoni: Na, Martha! Ma'n rhaid neud rhwbeth! Ma'
Mishtres . . . ma'r plant . . . ma' pawb . . . Y'n ni
i *gyd* isie help o rywle . . .

(Saib. Wrth Wil)

Ma' nghalon i'n gwaedu drostoch chi Mishtir, ond
so'r byd wedi stopo troi! Ma'r haul a'r lleuad a'r sêr i
gyd yn dala 'na!

(Shoni'n troi at Martha)

O, ma' fe'n torri nghalon i 'i weld e fel hyn Martha!
Y boi mwya wy 'di nabod eriôd! Sant o foi! Ond
'sdim hawl 'dag e! 'Sdim hawl 'dag e'n gadel ni i gyd
fel hyn!

Martha: Hisht nawr.

Shoni: Ond so fe 'da ni Martha! Ma' fe'n tindroi yn 'i fyd
bach 'i hunan!

(Enter Mali)

Mali:	*(Wrth Shoni)*
	Ti byth wedi mynd?
Martha:	Whare teg i Shoni, treial ca'l perswâd ar William i fynd 'dag e o'dd e.
Mali:	*(Wrth Wil)*
	Ond ma' rhaid i ti ga'l bwyd gynta. Dere. Wy 'di ail dwymo'r cawl . . . Fe alla i ddod ag e fan hyn i ti . . .
	(Yn sydyn, exit Wil. Saib anesmwyth . . .)
Shoni:	Ma'n ddrwg 'da fi Mishtres. Fe dreies i 'i gocso fe . . .
Mali:	Paid â becso. Fe ddaw e nôl aton ni 'to, yn 'i amser 'i hunan. Ma' fe'n neud bob tro. Fe ga i air ag e nawr. Cer di at y defed. A pham na ei di â Martha 'da ti? Iddi ga'l 'bach o liw nôl i'r boche 'na.
	(Exit Mali. Martha'n gwenu)
Martha:	So chi'n mynd i ofyn i fi te?
Shoni:	Beth . . .
Martha:	A odw i isie dod 'da chi. I ga'l 'bach o liw ar 'y moche?
Shoni:	Nagw . . .
Martha:	Pam?
Shoni:	Sa i isie llosgi 'mysedd 'to.
Martha:	Ddelen i ddim ta beth, achos ma' rhaid i fi ddechre paratoi . . .
Shoni:	Paratoi beth?
Martha:	I fynd o 'ma.
Shoni:	*(Syndod)*
	Pryd?
Martha:	Fory . . .
Shoni:	A *nawr* chi'n gweud 'tha i!
Martha:	Dim fan hyn ma'n lle i Shoni.
Shoni:	Ond yffarn dân! So chi'n mynd i adel Mishtres *nawr*

o's bosib! Beth os bydd e'n y falen am ddyddie? At bwy all hi droi wedyn?

Martha:	*(Yn gwenu)*
	Y'ch chi'n gadno. Chi'n gwbod 'nny? A chi'n gwbod cystal â fi bo' fe'n galler bod yn greadur bach digon dansherus — 'nenwedig pan fydd e ar starfo.
Shoni:	Y'ch chi fel harn ambell waith, on'd y'ch chi?
Martha:	Ma' rhaid i fi fod.
Shoni:	Dim plygu o gwbwl.
Martha:	O odw. 'Na'n gwmws beth wy'n neud nawr. Plygu i'r drefen.
Shoni:	Hy! Trefen . . .
Martha:	Y drefen o'dd bo' fi'n dod 'ma . . . 'Yn bod ni'n dou'n cwrdd . . . A dim ond cwrdd . . .
	(Martha'n gafael yn ei law)
	A wedyn . . . bo' fi'n mynd o 'ma . . .
Shoni:	'Na'r drefen ife? Wy 'di gweud a gweud bo' fi'm yn 'i dyall hi . . . Ond myn yffarn i, wy'n 'i nabod hi . . . Wy'n 'i nabod hi'n dda iawn erbyn hyn . . . A ma' hi'n greulon uffernol wrtha i Martha . . .
	(Shoni'n cofleidio Martha'n angerddol a hithau'n ymateb)
Martha:	Shoni . . . Y'n ni'n ffrins, on'd y'n ni?
	(Y ddau'n cofleidio eto . . .)

GOLYGFA 4

Pantycelyn. Ymhen rhai dyddiau . . . Nos. Mali'n eistedd. Ar ôl ysbaid, enter Wil . . .

Mali:	So ti'n credu bod hi'n hen bryd i ti 'i gadel hi nawr?
Wil:	Wy wedi . . . am heno.

Mali:	Ond fe fyddi di wrthi yn yr orie mân 'to siŵr o fod . . . Wyt ti'n mynd i ladd dy hunan fel hyn.
Wil:	Ble ma' Martha?
Mali:	Mas 'da Shoni'n gweld y defed.
Wil:	Gweld y defed wir! 'Ramser 'ma!
Mali:	Ma' hi'n nosweth ffein . . . O'dd y machlud yn werth 'i weld . . . Ond 'na fe, fyddet ti'm yn gwbod.
Wil:	Ody hi *yn* golygu mynd nôl i Dregaron?
Mali:	Ma' hi'n styried 'nny bob dydd.
Wil:	Ond faint o berswâd wyt ti'n 'roi arni?
Mali:	I fynd nôl i uffern?
	(*Saib*)
Wil:	Wy'n credu a' i mas 'fyd.
Mali:	Ond so ti'n moyn i fi ddod 'da ti.
Wil:	Dere te!
Mali:	Alla' i ddim. Ma' annwyd trwm ar Anne fach, a 'sdim dal pryd ddihunith hi.
Wil:	Ers pryd ma' hi'n achwyn?
Mali:	Echdo, Wil.
	(*Saib*)
	Ta beth, wy'n moyn trafod â ti.
Wil:	Trafod beth?
	(*Saib*)
	Wel?
Mali:	Ti'n cofio'r bore dwetha est ti bant? Pawb yn rhedeg a raso rownd i ti a finne 'bach yn od? O'n i isie gweud shwt gymint o bethe, ond y cwbwl wedes i o'dd — dere nôl yn saff i ti ga'l bod yn stiward i fi. Ti'n cofio?
Wil:	Odw.
Mali:	Ond ddest ti'm nôl.
Wil:	Beth ti'n feddwl?

Mali:	Ddest ti'm nôl ata i Wil. Wy'n dala i ddisgwl amdanot ti. Bob awr o'r dydd a'r nos wy'n disgwl amdanot ti . . . Whilo amdanot ti . . . Ond wy 'di ffaelu dy ffindo di . . . Man a man 'set ti draw ymhell dros y brynie 'na o hyd, ar gefen dy ferlen . . . 'Ma'r tro cynta i ni drafod wyneb yn wyneb er y bore est ti bant. Ond 'na fe, wyt ti'n moyn mynd am wâc . . .
Wil:	Beth sy'n dy gorddi di Mali? A beth wyt ti'n feddwl wrth y "tro cynta" 'ma? Y'n ni wedi trafod tipyn . . .
Mali:	Trafod? Fe ddest ti nôl mewn pryd i weld geni'r un fach. Fe fuest ti'n dda iawn, ma' rhaid i fi gyfadde, yn ystod y dyddie cynnar, yn 'yn carco ni i gyd. Penteulu Pantycelyn! Wedyn, pan a'th hi'n dost druan fach fe fuest ti'n 'i magu a'i magu hi. A fe fuodd hi farw yn dy freiche di . . .

(Saib. Y ddau'n ymladd â dagrau)

Ond o't ti ddim 'da ni Wil. A so ti 'di bod 'da ni 'ddar 'nny.

Wil:	Mali . . .
Mali:	Wy'n gweud y gwir Wil! O't ti'n dala ar bob cyfle i fynd i dy stafell i weitho . . . O't ti yn dy fyd bach dy hunan, a do'dd dim trafod i' ga'l.
Wil:	'Na beth ma'r falen yn neud. Dy gloi di yn dy fyd bach dy hunan.
Mali:	Ti'n meddwl bo' fi'm yn gwbod 'nny? A finne 'di byw 'da ti cyhyd? Ond wy hefyd yn gwbod bo' ti wedi dod mas ohoni echdo. A beth 'nest ti? Cau dy hunan yn dy stafell unweth 'to! A 'na ni! So ni'n ca'l bwyd ar yr un ford. So ni'n cysgu yn yr un gwely.

(Saib)

'Na hanes y Parchedig a Mrs William Williams Pantycelyn yn ystod y mish dwetha. Ond 'na fe, fydd haneswyr y dyfodol ddim callach. Os na 'nei di ddatgelu'r cwbwl mewn rhyw lythyr at Daniel

Rowland neu Peter Williams — ne' yn un o dy lyfre . . . Ond gobeitho na 'nei di ddim. Fydden i ddim yn moyn i bobol ga'l camargraff. Achos ma' 'na *un* peth mowr wedest ti wrtha i y bore 'nny . . . Ti'n cofio beth o'dd e? Wyt ti?

Wil: Odw . . .

Mali: Beth o'dd e Wil? Gwed e!

Wil: Bo' fi'n dy garu di Mali.

Mali: Ie . . . Ond 'na'r tro dwetha i ti 'i weud e wrtha'i Wil!

Wil: So tithe wedi'i weud e wrtha inne!

Mali: Sa i 'di ca'l cyfle! Y'n ni'n gwmws fel 'sen ni'n byw ar wahan!

          (*Saib. Mali'n ei gyffwrdd . . .*)

          Ond wy wedi moyn 'i weud e 'thot ti. A wy'n mynd i weud e nawr. Wy *yn* dy garu di. A 'na i byth beido dy garu di. A 'nei di byth beido 'ngharu inne, gobeitho.

Wil: Byth . . .

          (*Saib. Mali'n symud oddi wrtho . . .*)

Mali: Ti'n cofio ni'n gweud rhwbeth arall y bore 'nny? Na all y meddyg ddim gwella'r claf . . .

Wil: . . . os na 'wedith y claf ble ma'r po'n.

Mali: Wy moyn gweud 'thot ti ble ma'r po'n Wil. Wy moyn i ti fod yn feddyg . . . Yn stiward i fi . . . A wy moyn i ti addo y byddi di'n dala i 'ngharu i ar ôl i fi gyfadde 'mhechod.

Wil: Pechod?

Mali: Ie . . . Wyt ti'n dala i gredu mewn Rhaglunieth, on'd wyt ti?

Wil: Odw, yn gryfach nag eriôd.

Mali: Sach bod Maria Sophia yn 'i bedd.

Wil: *Oherwydd* bod hi'n 'i bedd . . . A tithe?

Mali: Odw . . . Erbyn hyn . . .

Wil: Erbyn hyn? Beth ti'n feddwl?

Mali: O! Shwt ma' dachre gweud 'thot ti . . .

Wil: Cyn bo' ti'n gweud dim wy isie i ti weld hon . . .

           (Wil yn tynnu dalen o bapur o'i boced ac yn ei rhoi i Mali . . .)

           Falle bo' fi 'di cau'n hunan yn 'yn stafell, ond sa i 'di bod yn segur . . .

Mali: Beth yw hi?

Wil: Marwnad i'r un fach.

           (Mali'n gwrthod edrych arni)

Mali: Sa i isie'i gweld hi!

Wil: Mali . . .

Mali: Sa i isie'i gweld hi Wil! Sa i isie'i chlywed hi!

Wil: Ma' 'i sgrifennu hi wedi bod yn help i fi alaru . . . A falle 'neith hi dy helpu dithe.

Mali: Ond so ti'n dyall! So ti'n grondo! Wy'n treial gweud 'tho ti bo' fi 'di bod yn galaru ers naw mish! Naw mish o uffern! Ar 'y mhen 'yn hunan! Y claf yn dost a ffaelu gweud wrth y meddyg . . . Ond tase'r claf yn gweud wrth y meddyg, fe gele fe fwy o ofon na'r claf . . . Wy 'di bod yn cwato pethe, Wil . . . Ers i fi ddachre cario Maria Sophia, wy 'di magu amheuon . . . 'Na beth mowr ontefe! Yng nghanol y ddeunawfed ganrif, yng nghanol y diwygiad, gwraig barchus, dduwiol, feichiog y Parchedig William Williams Pantycelyn yn dachre colli'i ffydd! Ti'n sôn lot am y dwyrnod y gwelest ti'r gole yn Nhalgarth. Gwyn dy fyd di. Ca'l dy ail eni mewn mynwent. Haleliwia! Ond *wy'n* cofio'r dwyrnod y dechreuodd y gole ddiffodd! Y dwyrnod pan sylweddoles i bo' fi'n cario babi newydd! Dwyrnod hapus ddyle hwnnw fod ontefe? Dwyrnod i ddathlu bywyd newydd. Dwyrnod cofio'r cymharu a'r ymbleseru, a'r whysu a'r whantu'n lân meddet ti, am i ni garu er mwyn cenhedlu. Plentyn arall yn y groth at y pedwar iach ar yr aelwyd. Dwyrnod i weiddi "Haleliwia, ma' popeth yn dda!" Dim cwmwl uwchben Pantycelyn. Rhaglunieth gyfleus o'n plaid, a ninne'n credu'n ddall yn'di. Popeth o'dd yn digwydd rhynton ni — hyd yn o'd yn y gwely — yn gyson â diwinyddieth Calfin . . . Ond fe ddechreues i feddwl Wil. Am y byd tu fas i'r ffenest 'na. Edrych heibo i iet y clos — hen glos bach cul Pantycelyn . . . Heibo i'r perci breision . . . A ti'n gwbod beth weles i? Adfyd. Diffeithwch o newyn a thlodi . . . po'n . . . a diodde. Pwy hawl o'dd 'da *ni* blant digonedd ofyn i'r tlawd a'r anghenus a'r newynog weiddi Amen a Haleliwia?

(*Saib*)

O'dd credu mewn Rhaglunieth yn esgor ar ragrith!

(*Saib*)

A rhagrith o'dd treial rhoi cyngor i Martha. Pwy hawl s'da fi 'i hannog hi i fynd nôl i uffern? 'I hannog hi i ddilyn Calfin . . .

Wil:	Beth am ddilyn Iesu Grist?
Mali:	Ma hi'n anodd heb 'i weld e!
Wil:	Heb 'i weld e? Mali fach!
Mali:	Ma' Calfin a'i debyg yn 'i gwato fe o'wrtha i Wil! Y dyn yng Ngenefa yn cwato'r dyn ar Galfaria! Athrawiaethe fel gwe o fola corryn — Rhaglunieth, etholedigeth, iechydwrieth, achubieth drw' ras, y pechod gwreiddiol . . . A'r holl ddadle 'ma wedyn. Daniel Rowland yn dadle fel hyn a Howell Harris fel arall am Dduwdod Person Crist a natur Y Drindod a phethe. Ynghanol y dadle a'r athrawiaethu — ble ma' Iesu Grist? 'Na beth wy 'di bod yn gofyn ers misho'dd! Ble ma' fe?

(*Saib*)

Yn y cyfamser, ma' Martha'n goffod byw. Ymdopi â Satan o ŵr. A finne'n pregethu goddefgarwch a maddeuant! O, pwy hawl s'da fi i'w chynghori hi a gweud wrthi am fynd nôl?

Wil:	O'dd dy gyngor di'n iawn.
Mali:	Cyngor y Methodistied Calfinaidd o'dd e! Cyngor stiward y seiat. Dy gyngor di . . . Wyt ti'n siŵr taw hwnna yw cyngor Iesu Grist?
Wil:	Odw!
Mali:	Ti'n fo'lon cyfadde y gallet ti newid dy feddwl rwbryd?
Wil:	Wrth gwrs! Sa i'n honni bo' fi'n gwbod y gwir i gyd. A wy'n fo'lon derbyn y gall system Calfin ga'l 'i disodli ryw ddwyrnod, fel system Ptolomi slawer dydd.
Mali:	Gan system arall? Ond dim system all achub Martha! Na finne!
Wil:	Ond ma' system yn bwysig! Athrawieth sy'n rhoi trefen ar 'yn meddylie ni ac yn 'yn harwen ni at wirionedd person Crist!
Mali:	Isie nabod Iesu odw i! Wy isie mynd heibio i Calfin a'r Apostol Paul . . . Wy isie mynd ato *fe*!
Wil:	*(Mewn tymer wyllt)*
	O! So ti'n dyall Mali!
Mali:	*(Mewn tymer, ar ei draws)*
	Nadw, wy'n gwbod! Dewis tone i d'emyne di yw'r unig beth wy'n ddyall! Ti'n credu y ca' i sylw bach 'da rhywun am hynny rwbryd?
Wil:	*(Wedi'i siomi)*
	Mali!
Mali:	Beth sy'n bod Wil? 'Sdim hawl 'da finne i golli 'nhymer ambell waith? Gwylltu'n gacwn! Ma' 'da finne'n nheimlade 'fyd! Beth tasen *i*'n ildo i'r falen am ddwyrnode? Shwt fyddet ti'n ymdopi? Beth ddigwydde i Bantycelyn? O! Na! Ma'n rhaid i Mali fach fod yn gadarn, yn gefen i'w gŵr, yn wraig dda, yn gysur i'w phlant, 'sdim ots shwt ma' hi'n teimlo tu fiwn!
Wil:	Ma'n ddrwg 'da fi bach . . .

Mali:	Paid ymddiheuro!
Wil:	Beth alla' i weud te?
Mali:	Ers pryd ma' prif stiward y Seiat Brofiad heb ddim i weud?
Wil:	Wy'n rhy agos i ti i fod yn stiward.
Mali:	Ei di'm nôl i dy stafell i sgrifennu adroddiad amdana i te. Falle y bydde diddordeb mowr 'da Daniel Rowland i glywed am un o'r dychweledigion yn mynd ar gyfeiliorn. Gelen i'n 'nhowlu mas 'dag e? 'Na ti sgandal fydde honno!

(Wil yn syllu arni)

Mali:	Ti'n cofio ti'n gweud 'tha i bo' ti 'di goffod sgrifennu adroddiad am y dyn 'na o'dd yn aelod yn Seiat Lledrod? Hwnnw o'dd yn caru "menyw gnawdol". A'r unig ddewis o'dd o'i fla'n e meddet ti o'dd — naill ai 'i gadel *hi* — neu adel y Seiat.
Wil:	Ie . . .
Mali:	Beth yn gwmws o't ti'n feddwl wrth "fenyw gnawdol"? Menyw sy'n fo'lon gorwe' mewn unrhyw das wair? Dere Wil. Beth o't ti'n feddwl wrth "fenyw gnawdol"?
Wil:	Martha sy' wedi codi hyn 'da ti ontefe?
Mali:	Martha? Wyt ti'n credu bod hi'n "fenyw gnawdol"?
Wil:	Pam wyt ti'n moyn trafod Martha?
Mali:	Ti enwodd hi! Ond ateb rhwbeth arall i fi te! Odw i'n fenyw gnawdol?

(Saib. Wil yn codi i fynd mas)

Wil:	Mali, wy 'di blino . . . Wy'n mynd i'r gwely . . .
Mali:	I dy wely di ife? A finne i 'ngwely bach i. Pryd y'n ni'n mynd i'n gwely *ni* Wil? Pryd y'n ni'n mynd i gysgu 'da'n gilydd unweth 'to? Ti'n gwbod am beth wy'n sôn? Am faldod . . . a chwtsh . . . Am dwtsh â'n gilydd unweth 'to . . .

(Mali'n estyn am Wil, ac yntau'n dod ati. Y ddau'n

cofleidio'i gilydd . . . Enter Martha â siol am ei
gwar . . . Wil yn ymryddhau . . .)

Wil:	Martha . . . Ble ti 'di bod?
Martha:	'Da Shoni.
Wil:	Ble ma' fe nawr?
Martha:	Mas yn 'gegin.

(Wil at y drws a gweiddi)

Wil: Shoni! Dere 'ma! Nawr!

(Saib. Enter Shoni)

Beth s'da ti weud?

Shoni: Wel y . . . Ma'r defed a'r ŵyn yn saff am y nos
Mishtir . . .

Wil: 'Sdim ots am y defed a'r ŵyn! Ble fuoch chi'ch dou?

Shoni: 'Da'r defed Mishtir, wirionedd i . . .

Martha: Fe fuon ni yn y fynwent.

Wil: Yn y fynwent. A beth yn gwmws fuoch chi'n neud
yn y fynwent 'ramser 'ma o'r nos? Cwrso rhyw
ddafad golledig o'dd yn whilo am flewyn glasach?

Shoni: Wel o'dd hi'n ole leuad braf Mishtir . . .

Martha: Fuodd Shoni a fi ar lan bedd Leisa . . . A'i Faria
Sophia fach e . . . A'ch un chi . . . O'n nhw'u tair
yn cysgu'n dawel . . . Iawn te, wy'n mynd i'r
gwely. Wy 'di blino'n garn . . .

Shoni: A finne . . .

Martha: Allen i gysgu mewn tas wair heno!

Shoni: A finn . . .

(Martha'n troi i fynd)

Wil: Martha . . .

Martha: Ie?

(Wil yn mynd ati ac yn brwsho'i siol cyn codi un gweiryn
a'i estyn i Shoni)

Wil: Shoni . . .

76

(Shoni'n gafael yn y gweiryn ac yn mynd mas. Martha'n gwenu)

Martha: Fydda'i'n mynd o 'ma bore fory.

Mali: Beth? Ble ei di?

Martha: Sa i'n siŵr 'to . . .

(Martha yn tynnu'i siol)

Ond wy'n rhydd i fynd ble fynna i.

(Exit Martha)

Wil: Beth odw i'n mynd i neud â nhw gwed?

Mali: Rho lonydd iddyn nhw am heno Wil.

Wil: Fe all y ddou fynd dros y dibyn . . .

Mali: A beth amdanon ni'n dou?

Wil: Ond ma' nhw'n godinebu.

Mali: Wil! Gronda arna'i! So ti'n dyall? Ma'n priodas ni'n bwysicach na thipyn godineb Martha a Shoni!

(Mali'n estyn ei breichiau)

Dere nôl ata i Wil! Ond dim fel meddyg na stiward nag emynydd, ond fel *gŵr* . . . 'Y ngŵr *i*! Wy'n dy garu di gnawd ac ysbryd . . . Dere nôl ata' i . . . Allen i'm godde dy golli di . . . Fel wy 'di colli 'nghroten fach!

(Wil yn mynd ati ac yn gafael ynddi'n dynn. Dechrau cyfyngu'r golau'n raddol er mwyn ynysu'r ddau'n cofleidio'i gilydd . . . Clywir côr yn hymian tôn emyn yn isel . . .)

Wy'n meddwl amdani bob munud . . . Ffaelu cysgu'r nos . . . Dychmygu bod hi'n saff . . . yn dwym yn 'y nghôl . . . Wy'n gafel yn'di . . . yn 'i magu hi . . . Ond mas fanna yn y fynwent ma' hi, ar 'i phen 'i hunan fach . . . yn ôr . . . Eira'n disgyn ar 'i bedd . . . 'i gwely bach yn llaith . . . Pam na alla'i neud coffin aur iddi?

(Wil yn dechre adrodd rhan o'r farwnad . . .)

Wil: "'Run peth yw'r pridd â phluf y gwely clyd,
'Run peth yw oerfel, dŵr, a thân a gwres;"

(Mali'n codi'r ddalen . . .)

"'Run peth yw marw, ond y gair, â byw;
A beth yw marw . . . "

(Wil yn torri lawr a Mali'n darllen)

Mali: "A beth yw marw ond cyfnewid lle?
Yfory gartref, heddiw mas o dre;
Ar gefnfor heddiw, fory ar y tir:
Ar dir, ar fôr, neu gartref, mas o dre,
'R'un ffrind, 'run Duw, 'run heddwch maith
di-drai;
Dim ond bod marw'n llawer gwell na byw;
Bod oddi cartref ydyw bod yn nhref,
Bod yn y beddrod yw bod yn y nef . . .
I'r byd hi ddaeth, ond prin cas weld yr haul.
Dim ond ymddangos fel rhyw seren bell,
Un waith mewn oes, ymhlith y lleill o'r sêr,
Ac yna dianc i ardaloedd pell . . .
O'r groth i'r bedd yn wirion ac yn fwyn.
Dihangodd hi ar nwydau cig a gwaed,
Yr uffern fowr o fewn i fynwes dyn . . .
Hi Maria, nis ca'dd weld yr un.
Cas lonydd gan bob un o'r nwydau hyn.
Mae Maria'n rhydd!"

Wil: Ti bia'r gân Mali fach . . . Ond ma' hi heb 'i
chwpla . . . Fe fydd isie help arna'i i'w chwpla
hi . . . A dim ond ti all neud . . . Neb arall . . .
Neb arall yn y byd i gyd . . . Ti'n fo'lon Mali fach?
Gwed 'tho i bo' ti'n fo'lon . . .

*(Y ddau'n anwesu'i gilydd. Disgyn y llen olaf yn ystod
canu'r côr)*

"Rwy'n edrych dros y bryniau pell
Amdanat bob yr awr;
Tyrd, f'Anwylyd, mae'n hwyrhau,
A'm haul bron mynd i lawr."

Amen (*Buddugoliaethus*)

Y DIWEDD